C000007188

Cefn Gwlad Geoff Charles

Cefn Gwlad Geoff Charles

Cip yn ôl ar yr Hen Ffordd Gymreig o Fyw

Ioan Roberts

Cyhoeddir mewn cydweithrediad â Llyfrgell Genedlaethol Cymru

Argraffiad cyntaf: Awst 2006

ⓒ Ioan Roberts a'r Lolfa Cyf., 2006

Mae hawlfraint y lluniau yn eiddo i Lyfrgell Genedlaethol Cymru,
www.llgc.org.uk

*Mae hawlfraint ar gynnwys y llyfr hwn ac mae'n anghyfreithlon i
atgynhyrchu unrhyw ran ohono trwy unrhyw ddull ac at unrhyw
bwrpas (ar wahân i adolygu) heb ganiatâd ysgrifenedig y cyhoeddwyr
ymlaen llaw.*

Mae'r cyhoeddwr yn cydnabod cefnogaeth ariannol
Cyngor Llyfrau Cymru

Dylunio: Dafydd Saer
Clawr: Robat Gruffudd

Rhif Llyfr Rhyngwladol: 0 86243 895 0

Cyhoeddwyd gan Y Lolfa mewn cydweithrediad â Llyfrgell
Genedlaethol Cymru, ac argraffwyd a rhwymwyd yng Nghymru
gan Y Lolfa Cyf., Talybont, Ceredigion SY24 5AP
e-bost ylolfa@ylolfa.com
gwefan www.ylolfa.com
ffôn (01970) 832 304
ffacs 832 782

CYNNWYS

CYFLWYNIAD

"To me? From me?" Fwy na deng mlynedd ar hugain ar ôl i Geoff Charles a minnau fod yn cyd-deithio yn ei gar ar hyd lonydd gwledig Cymru, fedra i ddim gyrru tuag at giât gaeëdig heb ddychmygu clywed ei lais yn dweud y geiriau yna. Cyn gynted ag y deuai giât i'r golwg byddai'n craffu ar ei mecanwaith i weld i ba gyfeiriad y byddai'n agor. Hynny fyddai'n penderfynu pa mor bell oddi wrthi yr oedd angen iddo barcio tra byddwn innau'n mynd allan i agor y giât.

Rhyw amau y byddwn i fod y ddefod a'r ymholi Saesneg yng nghanol sgwrsio Cymraeg yn deillio o'i brofiad ralïo pan oedd yn ifanc. Yn yr un modd, wrth inni ddod allan i briffordd pan fyddwn i wrth y llyw, byddai'n rhoi cyfarwyddiadau pendant yn Saesneg eto: *"Stop"*, *"Wait"* neu *"Go"*, fel petai'n dweud wrth gyd-fatiwr a oedd hi'n ddiogel i redeg. Dyn trefnus a thrylwyr oedd Geoff; roedd yn well ganddo ddadansoddi sefyllfa ymlaen llaw na dibynnu ar siawns.

Mae'r ffaith mai agor giatiau ar ffyrdd bach y wlad sy'n fy atgoffa amdano yn dweud tipyn am y math o straeon newyddiadurol oedd agosaf at ei galon. Rhwng 1969 a 1975 buom yn crwydro i bob math o lefydd a digwyddiadau mewn gwlad a thref ar ran *Y Cymro*, fi'n ohebydd ar ei brentisiaeth ac yntau'n ffotograffydd enwog yn paratoi at ei bensiwn. Ond does dim dwywaith mai wrth ymweld â ffermydd a chymunedau gwledig y byddai Geoff fwyaf yn ei elfen, a'i gofnod o droeon a threialon bywyd y wlad yw etifeddiaeth fwyaf gwerthfawr ei yrfa.

Felly, pan ddaeth y cyfle i baratoi cyfrolau yn canolbwyntio ar agweddau penodol o'i waith, doedd gen i ddim amheuaeth pa faes a ddylai gael y sylw cyntaf. Daeth y llyfr hwn i fod yn sgil *Cymru Geoff Charles*, a gyhoeddwyd yn Rhagfyr 2004. Bu'r gwaith o ddethol lluniau ar gyfer y gyfrol honno'n bleser pur – ac yn hunllef. Golygai edrych ar bob un o'r 120,000 o brintiau-cyffwrdd yng Nghasgliad Geoff Charles yn y Llyfrgell Genedlaethol yn Aberystwyth a dethol un o bob mil, sef cant ac ugain o ddelweddau ar gyfer eu cynnwys. Byddai wedi bod yn dasg amhosibl oni bai i'r cyfan gael eu catalogio gan staff y Llyfrgell, gyda chymorth a nodiadau gan Geoff ei hun, yn y 1980au. Y peth mwyaf poenus i mi oedd gorfod troi cymaint o luniau gwerthfawr o'r neilltu.

Cafodd *Cymru Geoff Charles* dderbyniad gwych, arwydd o werth y lluniau a'r parch sy'n dal i fodoli at goffadwriaeth Geoff, er iddo ymddeol o'i waith amser llawn cyn belled yn ôl â Ionawr 1975. Yn sgil llwyddiant y gyfrol honno fe gytunodd y Llyfrgell Genedlaethol, Cyngor Llyfrau Cymru a gwasg Y Lolfa ei bod yn werth cyhoeddi cyfrolau eraill yn cynnwys agweddau penodol o'r ffotograffau. Yn dilyn y gyfrol hon ar gefn gwlad, fe ddaw cyfrol ar yr eisteddfodau y bu Geoff yn eu cofnodi.

Wrth baratoi'r gyfrol hon, ceisiais osgoi ailadrodd yr hyn a gynhwyswyd yn *Cymru Geoff Charles*, er bod llawer o'r lluniau yn y gyfrol honno hefyd yn ymwneud â chefn gwlad. Yn achos y dyrnaid o luniau sy'n cael eu cynnwys am yr eildro rwyf wedi ceisio ychwanegu rhyw wybodaeth am y lluniau nad oedd i'w gael yn y gyfrol gyntaf. O ran y geiriau, dim ond crynodeb sydd yma o hanes bywyd Geoff Charles, a groniclwyd yn llawnach y tro diwethaf. Ond mae'r gyfrol hon yn manylu mwy am gefndir y lluniau a'r stori a roddodd fodolaeth iddyn nhw.

O hen gyfrolau'r *Cymro* y daw'r rhan fwyaf o'r wybodaeth am y straeon, ond bûm yn pori hefyd yng ngholofnau'r *Montgomeryshire Express* a'r *Border Counties Advertizer*, a chylchgronau amaethyddol. Unwaith eto cefais bob cymorth gan staff amyneddgar y Llyfrgell Genedlaethol ac Archifdy Gwynedd yng Nghaernarfon. Am wybodaeth am fywyd a gyrfa Geoff Charles, dibynnais yn helaeth ar y sgyrsiau a recordiwyd gan staff y Llyfrgell Genedlaethol ac sy'n cael eu cadw yno yn Archif Genedlaethol Sgrin a Sain Cymru.

Bu Dyfed Evans, cydweithiwr i Geoff Charles am flynyddoedd maith, yn ddigon caredig i fwrw golwg trwy'r proflenni a'm hachub rhag ambell gam gwag. Rwy'n hynod ddiolchgar i Dyfed ac i bawb arall a fu mor barod eu cefnogaeth a'u cydweithrediad.

Ioan Roberts

Dros y dudalen ac ar y clawr blaen:

Pedwarawd y Buarth
1959

Mae hi braidd yn fuan i ddweud beth fydd Dewi a Huw – dau efaill pedair oed o Landderfel – yn ei wneud i ennill bywoliaeth, ond fel y dengys y llun hwn, y mae Dewi a Huw wrth eu bodd yn godro. Y mae Dewi (ar y chwith) yn godro 'Corn Cam' a Huw yn godro 'Ifor'. Dyna'r drefn bob tro ac ni fyddant byth yn godro'r un o'r gwartheg eraill.

Nid stynt ar gyfer y dyn camera yw hyn, oherwydd y mae'r gwaith hwn yn mynd ymlaen ddwywaith bob dydd. Nid er mwyn helpu eu tad a mam, Mr a Mrs Robert Evans, Bwlchcarneddog, y mae'r efeilliaid penfelyn yn tynnu tethi Ifor a Corn Cam, ond er mwyn cael llaeth i Jac, Wil, Sion a Sian. Cathod yw'r rheini, a chaiff eu syched ei ddiwallu bob dydd drwy garedigrwydd Ifor a Corn Cam, yn dioddef cael eu godro gan Dewi a Huw.

Y Cymro, 17 Medi 1959

Mae Dewi heddiw'n rheolwr llawr gyda chwmnïau teledu yng Nghaernarfon ac yn rhedeg busnes teilsio. Mae Huw yn berchen siop chips yn Penrith, Cumbria, ar ôl ymddeol yn gynnar o'i waith cynghori gyda'r Weinyddiaeth Amaeth.

GEOFF CHARLES
A'R GYMRU WLEDIG

Yr ydym ni ffotograffwyr yn delio gyda phethau sydd wastad yn diflannu, ac ar ôl iddynt ddiflannu, nid oes yr un ddyfais ar y ddaear a all wneud iddynt ddod yn ôl.

Henri Cartier-Bresson

Wrth i gontractwyr chwalu hen waith dur Brymbo ger Wrecsam ar ddechrau'r ganrif hon er mwyn datblygu'r safle, fe wnaed darganfyddiad syfrdanol. O dan sylfeini'r gwaith, dadorchuddiodd y peiriannau fonion coed cadarn, wedi hen ffosileiddio ond yn dal ar eu traed. Dyma weddillion fforest law drofannol oedd yn gorchuddio'r ardal dri chan miliwn o flynyddoedd yn ôl. Yn y cyd-destun hwnnw dim ond 'crych dros dro' oedd y ffwrneisi dur, y pyllau glo a'r holl fwrlwm diwydiannol a fu'n tarfu ar lonyddwch yr ardal am ganrif a hanner.

Tua'r un adeg â'r darganfyddiad hwnnw, bu farw un o feibion enwocaf Brymbo, yn 93 oed, mewn cartref nyrsio yng Ngobowen. Roedd Geoff Charles wedi treulio llawer o'i yrfa fel ffotograffydd yn cofnodi pethau darfodedig yr ugeinfed ganrif. Ond roedd yn drueni rywsut na chafodd wybod bod y fath gronicl rhyfeddol o gyflwr ei fro, fel yr oedd hi ymhell cyn geni'r deinosor cyntaf, yn llechu droedfeddi o dan yr union dir lle byddai'n chwarae'n blentyn.

Roedd y bwrlwm diwydiannol yn ei anterth pan anwyd Geoff Charles yn Ionawr 1909. Glo, dur a stêm oedd yn rhoi patrwm i'w fywyd cynnar. Rhu'r ffwrneisi dur fyddai'n ei suo i gysgu. Chwiban trên yn cario glo neu galch i'r gwaith dur oedd ei gloc larwm. Tanchwa gwaith glo pentref cyfagos Gresffordd, un o'r trychinebau gwaethaf yn hanes y diwydiant, oedd ei sgŵp newyddiadurol cyntaf.

Parhaodd ei ddiddordeb mewn peiriannau, yn enwedig trenau, gydol ei oes. Mae'r casgliad o'i luniau yn y Llyfrgell Genedlaethol yn cynnwys sawl cofnod o ddiwydiannau trymion, yng nghymoedd y de yn ogystal â gogledd ddwyrain ei gynefin. Mae'n rhoi darlun crwn o fywyd Cymru yn ei holl agweddau: cyfarfodydd gwleidyddol, priodasau, gêmau pêl-droed, eisteddfodau mawr a bach, cyfarfodydd WI, dramâu a nosweithiau llawen, crefydd, ceir hen a newydd, trenau dirifedi. Ond delweddau o fywyd y wlad, yn gymeriadau, sioeau, treialon cŵn defaid, arwerthiannau, ceffylau gwedd, teirw duon, peiriannau fferm, diwrnodau dyrnu a chneifio – y pethau hynny oedd ei faes mwyaf toreithiog. Pe tynnid y lluniau cefn gwlad allan, byddai'r casgliad gryn dipyn yn llai.

Sut, felly, y trodd mab y fro ddiwydiannol Seisnig ger Clawdd Offa yn gofnodwr a chefnogwr mor frwd i'r Gymru wledig, Gymraeg? Rhan o'r ateb yw bod yn rhaid iddo adlewyrchu diddordebau pa bynnag bapur newydd a fyddai'n ei gyflogi; a chynulleidfa wledig yn bennaf oedd i gyhoeddiadau fel y *Montgomeryshire Express*, y *Border Counties Advertizer* a'r *Cymro*, heb sôn am y wasg amaethyddol y bu'n ei gwasanaethu. Ond roedd ei ddiddordeb ym mywyd cefn gwlad yn dipyn dyfnach nag anghenion ei swydd. Yno, rywsut, yr oedd ei galon, er mai mewn trefi y bu'n byw am y rhan fwyaf o'i oes. Byddai wrth ei fodd yng nghwmni ffermwyr a gwladwyr, heb erioed fod yn un ohonyn nhw: yn perthyn yn ddigon agos i ddeall a chydymdeimlo, ond eto'n gallu edrych oddi allan gan adnabod rhyfeddod a hynodrwydd. Heb or-symleiddio, mae modd gweld ei blentyndod fel paratoad anfwriadol ar gyfer yr yrfa oedd i ddilyn.

Geoffrey Charles oedd yr hynaf o dri phlentyn John a Jane Elizabeth Charles, ei dad yn beiriannydd a rheolwr Cwmni Dŵr Brymbo a'i fam yn nyrs. Er bod eu bywydau'n weddol gysurus mewn hen ficerdy ym Mrymbo, doedd dim dianc rhag effeithiau'r streiciau a damweiniau, dirwasgiad, diweithdra a thlodi a fyddai'n tarfu ar y bwrlwm diwydiannol, gan greu ysbryd cymdogol digon tebyg i'r hyn a brofai eu cyfoedion yng nghymoedd y de. Brymbo oedd y filltir sgwâr, gyda theithiau achlysurol ar y trên i Wrecsam i siopa neu fynd i'r sinema ac, yn ddiweddarach, i'r ysgol. Roedd y rheilffordd yn mynd heibio'r tŷ, a hyd y diwedd roedd gan Geoff gof manwl am beiriannau a holl fanylion technegol y trenau stêm, yn ogystal â'u hamseroedd. Yn hynny o beth bu'n blentyn ar hyd ei oes ac mae un o'r lluniau diweddaraf yn ei gasgliad yn Aberystwyth yn dangos

model rheilffordd oedd ganddo yn ei dŷ yn Llanbedr Pont Steffan.

Ond er mai pentref diwydiannol mawr oedd Brymbo, roedd digon o wlad amaethyddol o'i gwmpas. Yn ogystal â bod ar y ffin ddaearyddol rhwng Cymru a Lloegr a'r ffin ieithyddol rhwng y Gymraeg a'r Saesneg, roedd hefyd ar y clawdd terfyn rhwng y wlad a'r dref. Bob blwyddyn pan fyddai'r ysgol yn cau ar ddiwedd tymor yr haf, byddai car Cwmni Dŵr Brymbo yn galw am y teulu Charles ac yn eu danfon i fferm ar ochr Mynydd Hiraethog, nad oedd ond ychydig filltiroedd i ffwrdd o'u cartref – i ganol bywyd oedd fel petai'n perthyn i blaned arall. Ar fferm o'r enw Pen Lan, yn agos at gronfa o eiddo'r cwmni dŵr uwchben Llandegla, y byddai Mrs Charles a'r plant yn treulio'r gwyliau haf i gyd, gyda'r tad yn dod draw i fwrw'r Suliau gyda'i deulu.

Mae atgofion Geoff am hafau plentyndod ar y fferm adeg y Rhyfel Byd Cyntaf wedi eu cofnodi yn *The Golden Age of Brymbo Steel*, cyfrol a ysgrifennodd ar y cyd gyda'i frawd Hugh ac a gyhoeddwyd gan Wasg Carreg Gwalch yn 1997. Mae'n disgrifio'r cyffro a'r brys wrth adael Brymbo – ymadael mor frysiog un haf nes iddo ddarganfod, gyda chywilydd, pan gyrhaeddodd adref ddiwedd yr haf, ei fod wedi gadael ei ddillad isaf heb eu golchi ar lawr ei ystafell wely.

Mae'n ddarlun difyr o blant y dref yn ymdopi â dirgelion y bywyd gwledig. Yr ymdrechion aflwyddiannus i odro; y corddi, a olygai droi handlen y fuddai nes y byddai'r breichiau ifanc yn diffygio, a'r cynnwys yn dal yn debycach i laeth nag i fenyn. Edmygu crefft y ffermwr, Robert Jones, wrth iddo doi ei das gyda hesg o lan yr afon, a'r to hwnnw'n dal dŵr yn berffaith. Dysgu dal cwningod gyda chroglath a gweld marwolaeth am y tro cyntaf. Cadw cwmni i'r hen lanc swil o ffermwr wrth iddo fynd â'r fuwch at y tarw, gofyn cwestiynau anodd a rhyfeddu fod defod mor smala yn gyfrwng i ddod â llo bach i'r byd.

I rai a fagwyd ynghanol sŵn trenau a pheiriannau, roedd swyn mewn teithio ar drol yn cael ei thynnu gan hen gaseg o'r enw Darby, a honno'n ymlwybro mor araf fel nad oedd olwynion di-deiars ar ffyrdd di-darmac yn ormod o artaith.

Roedd cyfle i ddysgu rhywfaint am densiynau a haenau cymdeithasol y bywyd gwledig. Bob blwyddyn byddai rhybudd i'r plant beidio crwydro i'r corstir o gwmpas y fferm ar ôl 12 Awst – diwrnod dechrau'r tymor saethu grugieir ar y stadau. Tra'r oedd gynnau rhyfel yn taranu trwy Ewrop, sŵn gynnau'r landlordiaid a'u ffrindiau oedd yn atseinio ar Fynydd Hiraethog, a byddai'r plant yn clustfeinio ar y ffermwyr a'r tyddynwyr yn hel clecs am y byddigion.

Hyd yn oed yr adeg honno, roedd rhai arwyddion fod canrifoedd o draddodiadau gwledig yn dechrau dirwyn i ben, a bod Robert Jones a'i ddwy chwaer ddibriod yn ddiwedd llinach mewn mwy nag un ystyr. Roedd bwthyn gerllaw eu ffermdy wedi dadfeilio bron yn llwyr erbyn diwedd y Rhyfel Mawr. Sylwodd y Geoff Charles ifanc fod peiriannau petrol – beiciau modur yn bennaf – yn dechrau disodli'r traed neu'r ceffyl fel cyfrwng teithio ac yn

dod â'r fro ynysig ger Llandegla yn nes at weddill y byd. Gwelodd dai brics coch unffurf yn cael eu codi ar fin y ffordd, gan ddisodli lle hen gartrefi gydag enwau fel Casgen Ditw, Tafarn y Gath, Llety Llygoden a Brandy Bach.

Roedd y dref, meddai Geoff Charles, wedi darganfod y wlad. Gellid dweud yr un peth amdano yntau.

Troi'n alltud

Byddai'n rhai blynyddoedd, serch hynny, cyn iddo ailgydio yn ei ddiddordeb mewn pethau gwledig. O ysgol uwchradd Grove Park yn Wrecsam aeth i Goleg y Brenin ym Mhrifysgol Llundain i astudio am Ddiploma mewn Newyddiaduraeth, yr unig gwrs o'i fath ym Mhrydain yr adeg honno. Ei fwriad cyntaf oedd astudio hanes, ar ôl ennill ysgoloriaeth yn y pwnc; ac er iddo newid ei feddwl ynglŷn â hynny fe barhaodd ei ddiddordeb mewn hanes gan ddod yn ddylanwad pwysig ar ei waith. Fel rhan o'r cwrs newyddiadurol cafodd hyfforddiant gyda rhai o brif bapurau Llundain, gan gynnwys profiad is-olygu ar y *Daily Mirror*. Ysgogodd hynny ddiddordeb mewn golwg, yn ogystal â chynnwys, tudalennau papur newydd. Ei uchelgais ar y pryd oedd gyrfa fel newyddiadurwr yn Fleet Street. Er nad oedd eto wedi dechrau tynnu lluniau, roedd y brentisiaeth newyddiadurol yn sylfaen dda ar gyfer yr yrfa oedd o'i flaen: "Newyddiadurwr oedd o ar hyd ei oes, hyd yn oed pan oedd o'n tynnu lluniau. Mae yna stori ym mhob llun," meddai ei ffrind Ifor Bowen Griffith amdano ar raglen deledu yn 1988.

Ar ôl gadael y coleg bu'n ohebydd yng Nghaerdydd i'r *South Wales Evening Express*, oedd yn yr un grŵp â'r *Western Mail*, ac i'r *Aberdare and Mountain Ash Express* yng Nghwm Cynon, lle'r oedd gan ei fam gysylltiadau teuluol. Aeth wedyn yn ôl i dde Lloegr i weithio ar y *Surrey Advertizer* oedd â'i bencadlys yn Guildford, tref a ddisgrifiodd fel "lle o snobyddiaeth eithafol". Trwy hap a damwain yn llythrennol, y daeth yn ôl i Gymru.

Un bore rhewllyd yn nechrau'r 1930au roedd yn ceisio tanio peiriant ei gar Fiat gyda'r handlen, pan lithrodd yr handlen o'i lle a'i daro ar ei ben nes ei fod yn anymwybodol. Bu'n gorwedd yn yr oerfel y tu allan i'w lety am rai oriau cyn i neb ddod o hyd iddo, a'r canlyniad oedd dal niwmonia a ddatblygodd wedyn yn dicâu, neu TB.

Cyn y ddamwain roedd wedi cael gwahoddiad gan ffrind o Wrecsam i fynd yn ôl i'w hen gynefin i ymuno â chriw bychan oedd ar fin sefydlu papur newydd gyda'r teitl *Wrexham Star*. Byddai'n cael ei argraffu gan gwmni oedd yn cydnabod undebaeth ac yn arddel sosialaeth, a'i werthu am geiniog y copi – hanner pris prif bapur lleol yr ardal, y *Wrexham Leader*. Dal i bendroni ynglŷn â'r cynnig yr oedd Geoff cyn ei waeledd, ond ar ôl chwe mis mewn ysbyty TB arbenigol ym Mhen-y-ffordd ger Wrecsam, a misoedd wedyn yn cryfhau yng nghartref ei rieni, doedd ganddo ddim awydd dychwelyd i Loegr.

"Roedd TB yn air oedd yn codi arswyd, a'r enw 'Penyffordd' yn cael ei gyfri fel dedfryd o farwolaeth.

Roeddech chi'n wrthodedig mewn ffordd. Am gyfnod hir ar ôl dod allan fyddwn i'n sôn dim gair am y lle. Roedd o fel tasech chi'n dioddef o'r pla," meddai.

Yn y sefyllfa honno roedd yn falch o ymuno â'r dyrnaid oedd wrthi'n rhoi'r *Wrexham Star* ar ei draed, penderfyniad a olygodd mai yng Nghymru y treuliodd weddill ei yrfa.

Er mai menter fyrhoedlog oedd y *Star*, un a olygai lawer o lafur cariad, bu'r profiad o wneud tipyn o bopeth yn un gwerthfawr a dyna pryd y cafodd Geoff ei sgŵp mwyaf fel gohebydd. Trwy gysylltiadau teuluol, roedd yn un o'r newyddiadurwyr cyntaf i gael gwybod fod rhywbeth wedi mynd o'i le yng ngwaith glo Gresffordd un noson yn 1934. Ar ôl rhuthro yno yn ei gar, llwyddodd i fynd i mewn i'r ystafell lampau ar ben y pwll a darganfod bod nifer y glowyr a ddaliwyd o dan ddaear yn llawer uwch na'r ffigwr swyddogol o gant. Cynhyrchodd, bron ar ei ben ei hun, rifyn arbennig o'r papur yn datgelu fod dros 240 o ddynion wedi eu lladd.

Yn ystod ei gyfnod gyda'r *Star* yr aeth ati o ddifri i dynnu lluniau, yn bennaf am nad oedd neb arall yn gweithio i'r papur a oedd yn gallu gwneud hynny. Doedd y grefft ddim yn gwbl ddieithr i Geoff, gan fod ei dad yn ymddiddori mewn gwaith camera ac yn defnyddio'i stydi yn y tŷ fel ystafell dywyll. Aeth i astudio rhai o hen lyfrau ei dad ar ffotograffiaeth, a meistrolodd y dechnoleg heb fawr o drafferth.

Erbyn 1936 daeth yn amlwg fod y *Star* yn colli ei frwydr Dafydd-a-Goliath yn erbyn y *Wrexham*

Leader oherwydd prinder adnoddau ariannol. Daeth ei oes fel papur annibynnol i ben a chymerwyd y teitl drosodd gan gwmni Woodall Minshall and Thomas, perchnogion y *Leader*. Bedair blynedd ynghynt roedd y cwmni wedi cychwyn *Y Cymro*, trwy fenter y perchennog Rowland Thomas, Sais na siaradai air o Gymraeg ond a oedd ar dân dros yr iaith. Ymhlith papurau eraill y cwmni roedd y *Border Counties Advertizer* yng Nghroesoswallt a'r cylch, a'r *Montgomeryshire Express*, gyda swyddfeydd yn y Trallwng a'r Drenewydd. Cafodd Geoff gynnig i ymuno â'r cwmni ar ddiflaniad y *Star*, gan weithio'n bennaf fel ffotograffydd o bencadlys y cwmni yng Nghroesoswallt. Roedd hynny'n cynnwys gweithio'n achlysurol i'r *Cymro*, gan ddechrau gyda thaith i Landudno i gyfweld Lewis Valentine, oedd yn aros i fynd i garchar am ei gyfraniad i'r 'Tân yn Llŷn'. Bu Geoff ar lyfrau'r cwmni, a ailfedyddiwyd wedyn y Papurau Newydd Gogledd Cymru, yn ddi-dor rhwng 1936 a'i ymddeoliad yn 1975.

Rhyfel

Rywbryd tua dechrau'r Ail Ryfel Byd, bu cyfarfyddiad ar faes pêl-droed Pwllheli a fyddai'n cael dylanwad mawr ar y byd newyddiadurol Cymraeg. Yn y fan honno, am ryw reswm, y trefnodd Geoff Charles a John Roberts Williams i gyfarfod, pan oedd y perchennog Rowland Thomas yn ystyried ceisio denu'r gŵr ifanc o Eifionydd i weithio i'r *Cymro*. "Dyn ifanc tal, main, tywyll, nerfus ond cyfeillgar," oedd atgof Geoff amdano amdano. "Mi

ddwedais wrth Rowland Thomas, 'Mae'n rhaid inni gael hwn i ddod aton ni'." Roedd 'John Aelod Jones' fel y galwai ei hun, wedi ennill ei blwyf eisoes fel gohebydd craff gyda'r *Caernarvon and Denbigh Herald* yng Nghaernarfon. Roedd yn ddigon parod i dderbyn y cynnig i ymuno â staff *Y Cymro*. "Yng Nghaernarfon roeddwn i wedi bod yn gweithio yn Saesneg i gwmni Cymraeg," meddai ymhen blynyddoedd. "Fel gohebydd i'r *Cymro* ro'n i'n gweithio yn Gymraeg i gwmni Saesneg."

'John Aelod' fyddai'n cael y clod gan Geoff am ei arwain i fyd y 'pethe' – yr eisteddfodau a holl agweddau'r 'hen ffordd Gymreig o fyw'. Er hynny, Saesneg a siaradai'r ddau gyda'i gilydd trwy'r blynyddoedd, arferiad a sefydlwyd cyn bod Geoff yn ddigon hyderus i sgwrsio yn Gymraeg. Daeth John Roberts Williams yn olygydd *Y Cymro* yn Ionawr 1946, swydd y bu ynddi am ddwy flynedd ar bymtheg, a bu'r bartneriaeth rhwng Geoff Charles ac yntau'n un hynod gynhyrchiol.

Cyn i hynny ddatblygu, fodd bynnag, fe rwygwyd y byd unwaith eto gan ryfel. Ym Mehefin 1940 fe dderbyniodd Geoff y papurau tyngedfennol yn ei alw i Wasanaeth Milwrol, a chynigiodd ei frawd Hugh ac yntau ymuno â'r Llynges. Derbyniwyd Hugh, ond methodd Geoff y prawf meddygol. Er bod ei afiechyd wedi clirio'n llwyr erbyn hynny, doedd yr awdurdodau ddim yn credu mai maes y gad oedd y lle mwyaf addas i un oedd wedi bod yn dioddef o'r dicâu. "Fedra i ddim dweud fy mod i'n siomedig," meddai Geoff. Unwaith eto roedd y ddamwain wrth geisio tanio'r Fiat yn Surrey wedi bod yn fendith o fath.

Fel yn achos sawl un arall, daeth y Rhyfel ym Medi 1939 a chryn newid i'w yrfa. Tra'r oedd llawer o'i gyfoedion yn lladd ei gilydd ar hyd a lled y byd, symudodd Geoff i fyw i'r Drenewydd i ofalu am y *Montgomeryshire Express* yn y dref. Gyda staff yn brin roedd yn rhaid unwaith eto troi ei law at dipyn o bopeth a bu'n gweithredu fel gohebydd, is-olygydd, ffotograffydd, colofnydd moduro, casglwr hysbysebion, swyddog cylchrediad a sefydlydd tudalen hynod lwyddiannus i'r plant. Roedd hefyd yn byw mewn lle cyfleus i deithio i dde a gogledd Cymru i dynnu lluniau i'r *Cymro* yn ôl y galw.

Siroedd gwledig Maldwyn a Maesyfed oedd ei brif diriogaeth trwy gydol y Rhyfel. Mae ei luniau, cynnwys golygyddol a hyd yn oed hysbysebion y *Montgomeryshire Express*, yn gofnod difyr o effaith y brwydro pell ar fywyd cefn gwlad. Daeth dogni a phrinder bwyd, dyfodiad y noddedigion neu'r faciwîs o ddinasoedd Lloegr, y 'blacowt', y masgiau nwy, ymarferion yr 'Hôm Gard' a'r pryderon cyson am y bechgyn yn eu lifrai, yn fara beunyddiol i dudalennau'r papur.

Fu yna ddrwg erioed nad oedd yn dda i rywun ac un o effeithiau'r rhyfel oedd rhoi gwerth a statws newydd i amaethyddiaeth. Yn y blynyddoedd cyn y Rhyfel roedd ffermio ar i waered, pobl yn dylifo o gefn gwlad i'r ardaloedd diwydiannol, llai o dir yn cael ei aredig, hen stadau'n dadfeilio, teuluoedd gweision ffermydd yn byw mewn tlodi enbyd a

mwy a mwy o fwyd gwledydd Prydain yn cael ei fewnforio. Daeth tro ar fyd yn sgil Hitler a'i longau tanfor, wrth i'r Llywodraeth geisio annog ffermwyr i gynhyrchu digon o fwyd fel na fyddai angen ei brynu o wledydd eraill. Roedd papurau newydd fel y *Montgomeryshire Express* yn rhan bwysig o'r ymgyrch honno.

> *Ploughing on Farms*
> *Is as vital as Arms*

meddai un hysbyseb a ymddangosai'n rheolaidd yn y papur.

"Farmers!" meddai neges arall, *"By ploughing now you can win the equivalent of a mighty naval battle"*

Doedd dim gorffwys i fod, hyd yn oed wedi nos, i'r sawl oedd yn trin y tir:

> *Farmers, plough by day and night,*
> *Play your part in the fight for right!*

meddai hysbyseb arall, gan bwysleisio fod pob ymdrech gan ffermwyr i gynhyrchu mwy yn helpu i ryddhau arian a llongau ar gyfer arfau rhyfel.

Roedd gan hyd yn oed y Prif Weinidog, Neville Chamberlain, tua diwedd ei deyrnasiad yn 1940, neges 'bersonol' at ffermwyr Maldwyn. Wrth apelio am fwy o weithgarwch, addawodd y byddai'r llywodraeth yn sicrhau pris teg i'r ffermwyr am eu cynnyrch, fel y gallent hwythau dalu digon o gyflogau i ddenu'r gweithwyr angenrheidiol. Roedd prinder llafur yn broblem fawr, gyda chyflogau gweision ffermydd yn llai nag arian prin y dôl. Doedd fawr o syndod fod llawer o'r gweision yn chwilio am swyddi oedd yn talu'n well. Bu'n rhaid i arolygydd ffyrdd Sir Aberteifi, er enghraifft, addo na fyddai'n cynnig gwaith ar y ffordd i neb os gwyddai fod gwaith iddo ar y tir. Wrth gydnabod fod yn rhaid gwella amodau'r gweithwyr cyn y gellid gwella'r cynhyrchiant, addawodd y Gweinidog Llafur, Ernest Bevin, yng ngeiriau gohebydd amaethyddol *Y Cymro*: "Fe ysgubir ymaith yr hen draddodiadau o waseidd-dra ymysg gweision ffarm, a hynny ar unwaith."

Wrth i lawer o'r gweithwyr hefyd gael eu galw i'r lluoedd arfog byddai pethau wedi bod yn waeth fyth oni bai am ferched Byddin y Tir a alwyd i lenwi'r bylchau.

O ganlyniad i'r holl bwyslais ar gynhyrchu bwyd, fe ddyblodd cyfartaledd incwm ffermydd Prydain yn ystod y Rhyfel. Ymunodd plant ysgol â'r ymgyrch *'Dig for Victory'* a daeth garddio, gwau sanau i filwyr, gosod mygydau nwy wrth ei gilydd a hyd yn oed gwneud jam, i gael eu gweld yn rhan o'r ymgyrch fawr yn erbyn Hitler.

Yn ystod y cyfnod hwn o roi pwyslais newydd ar amaethyddiaeth y dechreuodd ffermio a'r bywyd gwledig ddod yn rhan ganolog o waith Geoff Charles. Yn ogystal â'i ddyletswyddau gyda'r *Montgomeryshire Express* yn un o ardaloedd mwyaf gwledig Cymru, daeth yn aelod o bwyllgor oedd yn ceisio addysgu ffermwyr ynglŷn â dulliau ffermio mwy cynhyrchiol – rhyw fath o ddysgu pader i berson.

Yr enw swyddogol oedd y *'War Agricultural Executive Committee'*, pwyllgor y *'War Ag'*, un o gyfres oedd wedi eu sefydlu ar gyfer pob sir i hybu cynnyrch y tir. Cafodd Geoff, yn rhinwedd ei swydd,

ei ethol ar is-bwyllgor gydag enw yr un mor aruchel – y *'Technical and Demonstration Sub-committee'*. Swyddogaeth hwnnw oedd cyflwyno ffermwyr i ddulliau cynhyrchu newydd, a'u perswadio i roi'r wybodaeth honno ar waith.

Byddai rhywun yn disgwyl i ffermwyr strancio yn erbyn cyfundrefn oedd yn dweud wrthyn nhw beth i'w wneud ar eu tir eu hunain. Ond nid felly'r oedd hi, yn ôl gohebydd amaethyddol *Y Cymro*. Ysgrifennodd yn Awst 1940:

"Rhaid i'r ffermwr, i bwrpas cynhyrchu'r flwyddyn nesaf, roddi ei ffarm yn llaw'r pwyllgor, a dibynnu ar drugaredd y rhain yn hollol. Credaf fod y mwyafrif mawr o ffermwyr ein gwlad yn barod iawn i wneud hyn o dan yr amgylchiadau presennol…"

Beth bynnag oedd y cymhellion, bu'r ymdrech i gynyddu cynnyrch y tir yn llwyddiant mawr. Trwy Gymru fe ddyblodd erwau'r tir âr yn ystod y Rhyfel, a dyblu hefyd wnaeth cyfartaledd incwm y ffermwyr.

Gwnaeth Sir Drefaldwyn ei rhan yn anrhydeddus – yn ôl un adroddiad roedd digon o datws yn cael eu cynhyrchu yn y sir i ddiwallu anghenion holl boblogaeth Manceinion. Roedd rhywfaint o'r diolch am hynny i gynlluniau yn ardaloedd Buttington a Llwydiarth ger y Trallwng, lle bu peiriannau'n aredig darnau mawr o dir rhedyn mynyddig nes cyrraedd y pridd ffrwythlon oddi tano, ei wrteithio'n dda a phlannu tunelli o datws ar y tir. Gofalai Geoff Charles fod yr ymdrech yn cael ei chofnodi'n fanwl yn nhudalennau'r *Montgomeryshire Express*.

Ond roedd ganddo gymhellion eraill dros

ymddiddori mewn materion amaethyddol. Mewn sgwrs gydag aelod o staff y Llyfrgell Genedlaethol yn yr 1980au, mae'n cydnabod fod hyn yn rhan o gynllun bwriadol oedd ganddo i wneud gwaith newyddiadurol ar ei liwt ei hun.

"Roeddwn i wedi darllen llyfr dipyn cyn hynny ar *freelance journalism*. Y cyngor yn hwnnw oedd, os ydych chi isio gwneud gwaith *freelance* a'i wneud yn iawn, dewiswch un pwnc a dod i'w adnabod yn drylwyr ac arbenigo yn hwnnw," meddai. "Roeddwn i wedi dechrau dysgu am ffermio yn ystod y gwyliau ysgol hynny yn Llandegla."

Dechreuodd ysgrifennu i gylchgronau amaethyddol fel y *Farmers' Weekly* ac yn ddiweddarach byddai'n tynnu lluniau i ddarlunio'i straeon ei hun. Bu'n dal i wneud hynny'n gyson trwy gydol ei yrfa gyda'r *Cymro*, ac ar ôl ymddeol byddai'n parhau i dynnu lluniau ar gyfer y wasg amaethyddol. Does dim cofnod o unrhyw anfodlonrwydd gan ei gyflogwyr ei fod yn gwasanaethu mwy nag un arglwydd. Oni bai am y rhyddid hwnnw, mae'n amheus a fyddai wedi aros gyda'r *Cymro* ar adeg pan oedd llawer o'i gydweithwyr yn troi at fyd brasach y BBC a theledu masnachol. Mae'n wir hefyd fod *Y Cymro* yn aml ar ei ennill wrth i Geoff ddod o hyd i straeon yn sgil ei gysylltiadau gyda'r cyhoeddiadau eraill.

Heddwch

Wedi'r rhyfel fe symudodd Geoff Charles a'i deulu o'r Drenewydd i fyw yng Nghroesoswallt, pan gafodd ei wneud yn gyfrifol am ffotograffiaeth y cwmni'n gyffredinol, gan gynnwys yr ystafelloedd tywyll ar gyfer prosesu lluniau yn y gwahanol ganolfannau. Ond byddai'n parhau i dynnu lluniau i'r *Cymro* – ychydig cyn gadael y Drenewydd yr aeth i Eryri gyda John Roberts Williams i dynnu'r llun enwog o'r bardd gwlad, Carneddog a'i wraig yn ymadael â'u cartref yn eu henaint. Dyma lun a wnaeth fwy na dim i wneud enw Geoff Charles yn un adnabyddus trwy'r Gymru Gymraeg. Roedd hon yn oes aur i'r *Cymro*, gyda'r Gymraeg yn dal yn iaith gyntaf drwy dalpiau helaeth o'r wlad, a'r teledu heb ddod yn fygythiad mawr i bapurau a chylchgronau yn gyffredinol. Hon hefyd oedd oes aur *Picture Post* a chylchgronau newyddion eraill trwy'r byd, wrth i welliannau mewn camerâu a dulliau argraffu wella ansawdd y lluniau gan godi statws y ffotograffydd newyddion.

Manteisiodd *Y Cymro* yn llawn ar y datblygiadau hyn. Roedd Rowland Thomas yn benderfynol o sicrhau llwyddiant i'r papur, gofalai fod ganddo ddigon o staff ac adnoddau i gyhoeddi sawl argraffiad lleol a doedd dim pall ar ddyfeisgarwch John Roberts Williams fel golygydd.

Un o'i fentrau mwyaf arloesol oedd mynd ati gyda Geoff Charles i wneud ffilmiau a fyddai'n rhoi cyhoeddusrwydd i'r papur, gan gynnwys *Yr Etifeddiaeth*, portread o fywyd Eifionydd. Roedd hyn yn gryn gamp i ddau oedd yn gwbl ddibrofiad yn y maes, a bu'r fenter honno'n gam pellach tuag at drwytho Geoff yn y bywyd gwledig, uniaith Gymraeg, cyn i hwnnw gael ei drawsnewid am byth.

Ym 1958 symudodd y teulu i fyw i Fangor a dechreuodd weithio o swyddfa'r *Cymro* yng Nghaernarfon. Heb y cyfrifoldeb am y lluniau yng ngweddill papurau'r cwmni, gallai roi ei holl sylw i'r *Cymro,* gan ddechrau ar ei gyfnod mwyaf toreithiog i'r papur. Er nad oedd straeon newyddion y dydd yn cael eu hesgeuluso, byddai Geoff wrth ei fodd yn crwydro hwnt ac yma yng nghwmni gohebyddion fel Dyfed Evans yn chwilio am straeon nodwedd nad oedden nhw'n ymddangos o dragwyddol bwys ar y pryd, ond a gynyddodd yn eu gwerth wrth i'r ffordd o fyw oedd yn cael ei chofnodi ddod o dan fygythiad o sawl cyfeiriad.

Tua'r adeg honno hefyd fe ddechreuodd y teledu ddod yn gystadleuaeth i'r *Cymro*, fel y nododd erthygl ar y dudalen flaen yn Ionawr 1959.

"Pan ddaeth y teledydd i arglwyddiaethu ar yr aelwyd," ysgrifennodd y golygydd, John Roberts Williams, "methodd rhai o gylchgronau mwyaf a mwyaf lliwgar Lloegr â derbyn y sialens. Cafodd y gystadleuaeth ei heffaith ar *Y Cymro* hefyd."

Ymateb y papur oedd cael gwared â deunydd oedd yn arfer bod yn boblogaidd, fel cystadlaethau Ble mae'r Bêl a Pwy yw'r Berta, a rhoi mwy o le i bethau mwy sylweddol. Roedd hynny'n gweithio, yn ôl yr erthygl, a'r cylchrediad yn codi unwaith eto.

Ond efallai mai anghymwynas fwyaf y cyfrwng newydd oedd denu rhai o weithwyr mwyaf talentog

papur fel *Y Cymro*. Gadawodd Ted Brown a Robin Griffith, dau o gyd-ffotograffwyr Geoff Charles, i weithio yn y byd darlledu. Ac yng Ngorffennaf 1962 ymunodd John Roberts Williams â menter fyrhoedlog Teledu Cymru, cyn troi at y BBC.

Ond daliodd Geoff Charles ati, gyda gwahanol genedlaethau o ohebwyr, i groniclo bywyd y Gymru wledig. Roedd llawer o'r straeon yn ymwneud â brwydr amaethyddiaeth a chymunedau i oroesi. Cafwyd brwydrau i gadw tir rhag cael ei feddiannu gan y Fyddin yn ystod y Rhyfel Oer, neu gael ei foddi i greu cronfeydd dŵr i ddiwallu'r dinasoedd mawr. Roedd hi'n frwydr economaidd i gadw siopau ac ysgolion y wlad yn wyneb y mudo anochel i'r trefi a'r dinasoedd. Mewn sawl ardal aeth hen grefftau'r gof a'r melinydd a'r teiliwr yn rhan o hanes. Cryfhaodd gafael y teledu gan greu byd llai cymdeithasol a diwylliedig. Daeth peiriannau i ddisodli dynion ar y ffermydd a diflannodd hen arferion cenedlaethau, fel y diwrnod cneifio a'r diwrnod dyrnu. Roedd sawl un o'r newidiadau hyn yn fygythiad hefyd i'r iaith Gymraeg yn ei chadarnleoedd a chafodd protestio ac ymgyrchu ieithyddol fwy a mwy o le yn nhudalennau'r *Cymro*.

Gyda'i ymwybyddiaeth o hanes, ei drwyn am stori a'i lygad am lun, fe wnaeth Geoff Charles gymaint â neb i roi newidiadau cymhleth y Gymru wledig yn yr ugeinfed ganrif ar gof a chadw.

BWYDO'R RHYFEL

Menyn y Sioe

Gorffennaf 1939

Roedd lle anrhydeddus i'r gystadleuaeth gwneud menyn yn Sioe Frenhinol Cymru yng Nghaernarfon ar drothwy'r Ail Ryfel Byd. Pencampwraig y menyn oedd Miss N Williams, Hafoty, Llansadwrn, Ynys Môn.

Yn y misoedd canlynol, wrth i fwyd gael ei ddogni a ffermwyr ddod o dan bwysau i gynhyrchu, daeth menyn yn bwnc trafod yng ngholofnau'r *Cymro*. Cwynai Undeb yr Amaethwyr yn Sir Ddinbych fod menyn fferm yn cael ei werthu am lawer llai na phris ei gynhyrchu.

Dogni menyn oedd yn poeni Cyngor Dosbarth Gwyrfai. Doedd dim modd i weithiwr fyw ar chwarter pwys yr wythnos, dogn annigonol i drigolion yr ardal, "gan fod y dull o fyw a bwyta yn hollol wahanol i rannau eraill o'r wlad, yn enwedig Lloegr". Penderfynodd y cynghorwyr anfon protest i'r Prif Weinidog.

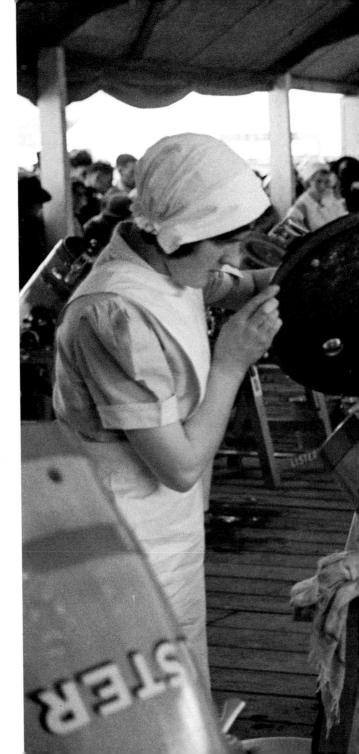

"Cyfrinach Llwyddiant – Calch"

Ebrill 1940

Roedd y car llusg yn cael ei dynnu gan geffyl yn gludiant poblogaidd ar lethrau Sir Drefaldwyn. Yn y llun hwn mae'n cael ei ddefnyddio i chwalu calch yn Llawryglyn ger Llanidloes – yr allwedd i greu tir mwy ffrwythlon, yn ôl gohebydd amaeth *Y Cymro*. Gan mai yn Sir Drefaldwyn (gogledd Powys bellach) y treuliodd Geoff Charles flynyddoedd yr Ail Ryfel Byd mae'n anochel mai o'r sir honno y daw'r rhan fwyaf o'i luniau o'r cyfnod hwnnw.

21

Merched y Tir

Chwefror 1942

Erbyn 1942 roedd 80,000 o ferched trwy Brydain wedi gwirfoddoli i ymuno â Byddin y Tir, gan gynnwys y rhain sy'n ffrwythloni tir rhedyn yn Buttington ger y Trallwng.

Cario Ŷd

1940

Er mai cario llwythi dros lethrau'r mynydd-dir oedd swyddogaeth arferol y sled, daeth Geoff Charles o hyd i un yn cario ŷd ar y briffordd ger Llanfyllin.

Tatws Maldwyn

1942

Roedd cynlluniau tyfu tatws ar raddfa fawr wedi cychwyn yn 1940 yn ardaloedd Buttington a Llwydiarth. Ymhen dwy flynedd, yn ôl y *Montgomeryshire Express*, roedden nhw'n cynhyrchu deg tunnell o datws yr acer.

Cyfoeth y Gwrychoedd

1942

Hyd yn oed i blant ysgol, doedd dim dianc rhag yr ymgyrch i dyfu mwy o fwyd a gwneud y defnydd gorau o bopeth oedd ar gael.

Dyma blant Ysgol Trewern ger y Trallwng yn casglu egroes oddi ar y gwrychoedd. Yn ôl yr awdurdodau roedd y ffrwyth hwnnw'n ffynhonnell werthfawr o fitamin C.

GWAITH A CHREFFT

Cwrwglwr

Mehefin 1952

Pedwar cwrwgl sydd ar y Teifi yn Llechryd erbyn hyn; dau gan John Jenkins, 68 oed (yn y llun) a dau gan ei gymydog, Johnnie Thomas.

Bu cyryglau yno am ddwy fil o flynyddoedd. Ond oni newidir y drefn ni fydd yr un cwrwgl yno nag yn unman arall cyn hir. Ni fydd dim ond yr afon a'r pysgod – a'r Bwrdd Afonydd…

Yn awr mae mawrion y Bwrdd Afonydd yn cenfigennu wrth bobl fach y cwrwgl. Gwrthodir trwydded rhwyd pan fydd farw'r perchnogion presennol. Ac heb rwydi, pa elw sydd mewn cwrwgl?

Ceir disgrifiad manwl o sut yr oedd y cychod yn cael eu gwneud, mewn gweithdy yng Nghenarth a fyddai'n eu gwerthu am saith bunt a chweugain yr un:

Rhwydwaith o helyg o lan yr afon i ffurfio'r gwaelod a'r ochr, cyll o lan yr afon wedi eu plethu'n dop iddo, calico wedi ei orchuddio â pitsh yn cuddio'r cyfan, un rhwyf o onnen a all lywio'r cyfan i ble y mynnir (os gwyddoch sut), a thalp bychan o bren i ddal y samon – dyna yw cwrwgl.

Erbyn 1952 roedd perygl y byddai'r gweithdy cwryglau'n gorfod cau oherwydd rheolau'r Bwrdd Afonydd.

Bydd stori dwy fil o flynyddoedd yn mynd yn ddim ond stori, a bydd Bwrdd Afonydd Tywi a Theifi yn fodlon.

Y Cymro , 1 Mehefin 1952

Saer Olwynion

Mehefin 1964

"Un o'r ychydig grefftwyr gwledig all lunio olwyn berffaith" – felly y disgrifiwyd Gruffydd Williams, 71 oed, o Fodffordd, Ynys Môn. Roedd wrthi'n gwneud pâr newydd sbon o olwynion i garafán sipsiwn oedd yn ddau gant oed.

Ar ôl bod wrthi ar hyd ei oes yn gweithio fel saer troliau, roedd yn ddiolchgar i sipsiwn am ei gadw mewn gwaith: "Aeth troliau a cheir ceffylau allan o ffasiwn. Ond mae sipsiwn, fodd bynnag, yn dal i lynu wrth yr hen ddull o symud o gwmpas."

Saer Cribiniau

Ebrill 1964

Er bod peiriannau wedi disodli'r gribin fach ar y rhan fwyaf o ffermydd, roedd digon o alw amdanyn nhw i gadw William Thomas o Lanymawddwy, Meirionnydd yn brysur. Doedd dim llawer o grefftwyr ar ôl a allai droi darn o onnen yn gribin ac roedd William newydd anfon dau ddwsin o'i gribiniau i Batagonia. Roedd ei gynnyrch i'w weld hefyd yn yr Amgueddfa Werin yn Sain Ffagan a'r Amgueddfa Brydeinig yn Llundain.

Melinydd

Mai 1972

Bron yng nghysgod y peilonau sy'n cario trydan o orsaf niwclear fwya'r byd yn yr Wylfa, mae peiriannau nad oes angen dim byd mor fodern â thrydan i'w gweithio. Nid pwyso botwm a wna Mr Rice Williams bob bore i'w cychwyn, ond symud lifer sy'n peri i ddŵr Afon Alaw ddisgyn i lafnau olwyn ddŵr gan droi echelydd ac olwynion, yn union fel y gwnaed ar yr un llecyn ers dros chwe chanrif.

Y Cymro, 10 Mai 1972

Roedd Mr Williams wedi bod yn cadw Melin Hywel yn Llanddeusant, Ynys Môn, ers iddo gymryd drosodd gan ei dad fwy na hanner can mlynedd ynghynt. Pan ddechreuodd roedd melin wynt hefyd yn gweithio yn Llanddeusant.

"Ar y cyfan," meddai, "mae dŵr yn ynni mwy cyson na gwynt. Hyd yn oed yn y gaeaf mae 'na ambell ddiwrnod heb awel i droi'r llafnau."

Gyda'r dŵr, roedd modd ei gronni mewn 'argae' uwchlaw'r felin ar gyfer cyfnodau sych.

Er bod yr arfer o ddod â haidd a gwenith i'r felin i gael blawd i wneud bara wedi hen ddiflannu, doedd y felin byth yn segur. Byddai rhwng ugain a deg ar hugain o ffermwyr y dydd yn galw yno i gael malu gwahanol gymysgfaoedd ar gyfer eu hanifeiliaid.

Bellach roedd yntau ar fin ymddeol a thraddodiad oedd yn rhan o fywyd Llanddeusant ers y drydedd ganrif ar ddeg yn ôl pob golwg ar fin dod i ben.

Ond nid felly y bu. Adnewyddwyd y felin yn 1975 ac mae'n dal i falu.

Töwr

Mai 1960

Roedd to gwellt ar dŷ yn glyd ac yn gynnes, ond yn costio cymaint â'r to llechi Cymreig gorau ac yn parhau am ddim ond traean ei oes. Problem arall oedd bod towyr wedi mynd yn enbyd o brin.

Wedi i do tafarn y Mason's Arms yng Nghydweli fynd ar dân, fe hysbysebwyd yn lleol am grefftwr i'w ail doi, ond doedd neb yn ymateb. Felly fe gafwyd gafael ar Peter Slevin, o Ddonegal yn Iwerddon, i wneud y gwaith.

Bu Peter wrth y gwaith am ddeufis, gan ddefnyddio corsennau yn hytrach na gwellt. Roedd yn disgwyl i'r to barhau am saithdeg o flynyddoedd.

Ei orchwyl diwethaf cyn y gwaith yng Nghydweli oedd toi bwthyn Ann Hathaway yn Stratford-upon-Avon.

Teiliwr

Mawrth 1955

> Senedd-dai pentrefi gwledig ers talwm fyddai gweithdy'r crydd a gweithdy'r teiliwr. Er i nifer y cryddion gwledig leihau'n arw yng nghwrs y blynyddoedd, y mae amryw o weithdai yn parhau. Ond ble mae'r teilwriaid? Mae eu gweithdai hwy wedi diflannu o'r tir bron. Yn Llŷn ac Eifionydd yr unig deiliwr sy'n defnyddio gweithdy yn awr yw Mr W M Parry, Plas Belle, Fourcrosses. A gŵr ar ei bensiwn yw yntau bellach. Ni chaiff lonydd yn gyfangwbl, fodd bynnag, i droi cefn ar ei grefft gan y bydd amaethwyr yn dal i alw yno am siwt o frethyn cartref.
>
> *Y Cymro, 31 Mawrth 1955*

Roedd wedi dechrau ar y grefft yn Harlech yn ddeuddeg oed cyn symud i'r Ffôr yn 1901. Cofiai weithio trwy'r nos bob nos am wythnos i gael dillad newydd i bobl mewn pryd ar gyfer y Pasg.

Plygwr Gwrychoedd

Mai 1952

Yn Llanuwchllyn y mae un o'r clybiau plygu gwrych gorau yn y wlad. Y mae arwyddion i'w gweld wrth edrych ar bob cae a ffridd ac wrth gerdded pob dôl a llwybr yn yr ardal… mae gwrychoedd a blygwyd bymtheg ac ugain mlynedd yn ôl yn dal i sefyll heddiw.

Dengys y llun Mr W E Parry, Brynceunant, un o grefftwyr gorau'r cylch, a fu'n cystadlu'n gyson ers chwarter canrif.

Yr oedd wrthi ymhell cyn i'r uchedydd godi o'i nyth yn gweithio ar y fferm cyn mynd i Wrecsam i'r gystadleuaeth, yn brysur o naw y bore tan yn hwyr y prynhawn yn plygu a phlethu'r gwrych. Cipiodd y wobr a phob anrhydedd, ac erbyn terfyn dydd yr oedd yn ôl yn brysurach nag erioed adref ar y fferm.

Y Cymro, 15 Mai 1952

Gof Aberdaron

Gorffennaf 1963

"He is the ideal boys' blacksmith. Big, burly, bespectacled, and kind." Dyna ddisgrifiad Geoff Charles o William Jones, 'Wil Glasdon', gof Aberdaron. Mewn erthygl yn y *Welsh Farm News* mae Geoff yn hiraethu am y dyddiau pan fyddai plant yn mynd â'u 'cylchoedd' i'r efail i'w trwsio, ac yn cael cyfle i chwythu'r fegin. Bellach roedd trydan ac *oxyacetalyn* wedi disodli'r offer traddodiadol ac roedd William Jones, a arferai bedoli naw neu ddeg o geffylau bob dydd, yn gwneud hynny mor anaml nes y byddai pedoli un yn achosi poen yn ei gefn.

Gofaint Llanrug

Ebrill 1964

Os oedd gofaint yn prinhau o'r tir yn y chwedegau, roedd merched oedd yn gwneud y gwaith hwnnw'n brinnach fyth. Roedd Beti wedi bod wrthi ers chwe blynedd yn helpu ei hewythr, Thomas Roberts, i wneud pedolau, sychod a llidiardau yn yr efail yn Llanrug ger Caernarfon. Wedi hir arfer, meddai, roedd morthwyl deg pwys yn "ysgafn fel pluen".

Dim ond pedwar ceffyl gwedd oedd ar ôl yn yr ardal erbyn hyn, ond byddai'r efail yn pedoli pedwar neu bump o geffylau ysgafn bob dydd.

Casglu Cocos

Awst 1962

Lettice Rees oedd brenhines y criw o fenywod oedd yn defnyddio asynnod i gasglu cocos ar draeth Llansaint, ger Cydweli. Yn 74 oed, roedd hi wedi bod wrth y gwaith ers 62 o flynyddoedd a gan fod yr ieuengaf o'r rhai oedd yn dal i weithio fel hyn yn 45 oed, doedd dim disgwyl i'r hen, hen arfer barhau'n hir.

Yn yr hen ddyddiau byddai Lettice a'i chriw yn gwerthu'r cocos o ddrws i ddrws. Erbyn y chwedegau roedden nhw'n mynd â'u helfa i ffatri ym Mhenclawdd i gael eu trin a'u berwi.

Roedd Lettice yn un o ddeuddeg o blant. Bu un o'i brodyr yn Esgob Bangor.

Cewyllwr

Mehefin 1961

Allan o goed helyg, yn hytrach na defnyddiau modern, y byddai Hywel Williams o Borth Amlwch, Môn, yn gwneud cewyll cimychiaid. Roedd wedi dysgu'r grefft gan ei dad.

Doedd cael gafael ar y defnydd ddim yn waith hawdd: roedd un cawell yn gofyn am gymaint ddwywaith o helyg ag y gallai Hywel eu cario ar ei feic.

Roedd yna hefyd dipyn o wastraff yn y broses. Ar gyfer y tymor presennol roedd wedi gwneud pum deg dau o gewyll, ond rhagwelai y byddai ugain yn cael eu colli mewn tywydd garw.

Williams y Tryc

1964

Gêm o ddartiau awr ginio i staff gweithdy saer yng
Nghynwyd ger Corwen. Doedd y perchennog, Ifor
Williams, ddim yn eu plith. Heddiw mae'r gweithlu
wedi tyfu i dros bum cant, trosiant blynyddol o £66
miliwn, a chwmni Ifor Williams yw'r cynhyrchwyr
trelars amaethyddol mwyaf yn Ewrop.

FFAIR A SIOE

Mwd y Sioe Frenhinol
Gorffennaf 1954

Cyn iddi symud i'w chartref parhaol yn Llanelwedd, byddai'r Sioe Frenhinol Amaethyddol, fel yr Eisteddfod Genedlaethol, ar drugaredd y tywydd. Doedd hwnnw ddim yn drugarog iawn pan gynhaliwyd y Sioe ym Machynlleth, fel y dywedodd Gohebydd Amaethyddol *Y Cymro*:

> Mae fy nghalon yn tristau wrth feddwl am ardal Machynlleth a'r gwroniaid hynny a fu mor ymdrechgar a llwyddiannus wrth lwyfannu'r Sioe Genedlaethol Frenhinol a chael eu trechu... pan oedd yr ymdrechion di-ben-draw bron wedi dod dros bob camfa a phob rhwystr.
>
> Ond dyna ergyd heb ei disgwyl ar y diwrnod olaf, a phistyllodd y glaw i lawr fel petai yn mynnu sicrhau'r fuddugoliaeth iddo ei hunan...
>
> *Y Cymro, Gorffennaf 1954*

Serch hynny, meddai'r gohebydd, roedd hi'n sioe dda, "sioe â gafael ynddi".

Un stondin a wnaeth argraff oedd un yn arddangos y dechneg o wneud silwair. I helpu'r wers honno roedd englyn o waith T Llew Jones:

Silwair
Wedi'i ladd, yna ei gladdu – yn wair ir
Cyn i'r haul ei sychu;
Gogor fydd ar dywydd du
Yn Ionawr, rhag newynu.

Sioe Mynytho

Awst 1953

Er bod y ffust ddyrnu wedi cael ei disodli gan y dyrnwr mawr ym mhobman erbyn y 1950au, roedd y grefft o ffustio yn dal i gael ei harddangos yn Sioe Mynytho. Er nad yw ei wyneb i weld yn glir, credir mai Henry Jones o Garn Fadryn sydd wrthi yn y llun hwn. Roedd Mr Jones wedi meistroli'r gamp pan oedd yn byw am gyfnod ar Ynys Enlli, lle'r oedd y ffust yn parhau i gael ei defnyddio am nad oedd dyrnwr ar yr ynys.

Mart Croesoswallt

Ebrill 1954

Taro bargen yn y dull traddodiadol. Er bod Croesoswallt dros y ffin, roedd y Gymraeg yn iaith gyffredin ymhlith y ffermwyr a'r siopwyr ar ddiwrnod marchnad.

Ffair y Bala

Mai 1952

Roedd cannoedd o bobl yn llenwi strydoedd y Bala ar gyfer Ffair Glamai. Un o'r atyniadau oedd y ceffyl ysblennydd Wenlock Tysul, sydd yma yng ngofal John D Lloyd, Llanynys. Ymhlith ei edmygwyr, yn y canol yn gwisgo het, mae Llwyd o'r Bryn.

Roedd bri mawr hefyd ar y stondin deganau.

Pencampwyr Cŵn Defaid

Awst 1972

Roedd Alan Jones o Bontllyfni a'i gi, Lad, ymhlith goreuon Cymru mewn treialon cŵn defaid. Yn y llun yma roedden nhw'n corlannu mewn treialon yn Llandudno. Eisoes y tymor hwnnw roedd Alan wedi cystadlu mewn ugain o ornestau, gan ddod yn gyntaf mewn pymtheg o'r rheini.

Ymryson Aredig

Mawrth 1960

Ceffylau gwedd yn dangos eu doniau yn Sarn
Mellteyrn ym Mhen Llŷn.

Sioe Hen Beiriannau

Gorffennaf 1958

John Humphreys o Dalsarnau wrth ei fodd yn
arddangos ei beiriant lladd gwair hen ffasiwn mewn
gŵyl yng Nghapel Curig.

Deuawd Sioe Meirion

Medi 1957

Brodor o Lundain a dreuliodd dros 30 mlynedd fel
crwydryn ar y ffordd yw Harry Killick, a threuliodd y
merlyn ei oes ar fferm Tanmynydd, Llidiardau, y Bala,
heb wybod beth oedd ffrwyn yn ei ben cyn mynd i Sioe
y Bala. Ond deallodd y ddau ei gilydd yn lled dda i
ennill tystysgrif canmoliaeth.

Y Cymro, 19 Medi 1957

Sioe Nefyn

Ebrill 1959

Byddai Sioe Nefyn yn arfer cael ei chynnal ar ddydd
Llun y Pasg – sioe gyntaf y tymor yn y gogledd.
Mae'r llun yn dangos Silver, merlyn mynydd
Cymreig, gyda'i berchennog, Wyn Griffith o
Nanhoron, a'i ffrindiau.

Sioe Gyntaf Llanelwedd

Gorffennaf 1963

Os mai tywydd gwlyb oedd un o'r prif resymau dros gynnal Sioe Frenhinol Cymru ar safle sefydlog, y tywydd braf oedd yn cael y bai am ostyngiad mawr yn nifer y bobl a ddaeth i'r sioe gyntaf ar y maes newydd yn Llanelwedd.

Yn ei blaen yr â'r ddadl pa un ai doeth ai peidio fu cartrefu'r Sioe Amaethyddol Gymreig yn barhaol yn Llanelwedd. Y flwyddyn gyntaf fel hyn ni ellir penderfynu.

Eleni yr oedd yr amgylchiadau'n anffafriol i ddenu'r tyrfaoedd. Wedi'r hir ddisgwyl daethai hindda i orfodi amaethwyr i aros gartref.

Y Cymro, 25 Gorffennaf 1963

SIOPAU A GWASANAETHAU

Cau'r Siop

Mawrth 1966

Wedi tua chan mlynedd o gyflenwi anghenion cylch gwledig Nanhoron yn Llŷn bydd Siop Penrallt yn cau ddiwedd y mis pan fydd Miss Blodwen Griffiths yn ymddeol.

Cafodd Miss Griffiths, 77 oed, ei geni a'i magu ym Mhenrallt. Er pan fu farw ei brawd Hugh 14 blynedd yn ôl bu'n gofalu am y siop wrthi ei hunan.

"Bydd yn chwith iawn gennyf gau y drws am y tro olaf," medd Miss Griffiths. "Mi gollaf y gymdeithas yn fwy na dim. Byddai rhywun yn troi mewn o hyd. Cawn sgwrs yn ogystal â gwerthu neges."

Y Cymro , 3 Mawrth 1966

Diffodd y Trydan

Ionawr 1957

Bu ardal Llanfachreth ger Dolgellau yn mwynhau gwasanaeth trydan am fwy na chwarter canrif er pan sefydlwyd cwmni trydan lleol. Dichon mai'r camgymeriad mwyaf a wnaeth y cwmni oedd gwrthod y gwahoddiad i drosglwyddo'r gwasanaeth i'r Bwrdd Trydan pan genedlaetholwyd trydan, oherwydd mae'r cwmni lleol wedi ei ddiddymu'n wirfoddol. Felly mae pentref Llanfachreth yn y tywyllwch heb obaith trydan o unrhyw gyfeiriad.

Mae Mr J E Jones yn gweithio yng ngolau lamp olew y tu ôl i gownter y siop a'r llythyrdy. Mae'n brysur yn gwerthu paraffin a chanhwyllau i'w gwsmeriaid.

Y Cymro, 31 Ionawr 1957

Gwylio'r Bocs a Chario Dŵr

Ebrill 1961

Roedd Tai Newyddion, Rhos-y-bol, Ynys Môn,
yn heneiddio. Er iddyn nhw gael eu condemnio gan
y Cyngor flynyddoedd ynghynt, roedd teuluoedd
yn dal i fyw ynddyn nhw. Gyda thrydan newydd
gyrraedd, roedd erialau teledu ar sawl to – ond roedd
yn rhaid cario dŵr o ffynnon chwarter milltir i
ffwrdd.

Postmon Ceffyl

Medi 1955

Erbyn canol y pumdegau dim ond dau bostmon trwy wledydd Prydain oedd yn defnyddio ceffyl i gario'u llythyrau – ac roedd y ddau yng Ngheredigion. Bu Geoff Charles a Dyfed Evans yn dilyn un o'r rheini, David Lewis Jones o Dregaron, trwy ei ddiwrnod gwaith.

Dim ond mewn wyth tŷ y byddai'n galw, a hynny deirgwaith yr wythnos. Ond roedd ei ddiwrnod gwaith, yn ardal anghysbell Soar-y-mynydd, yn parhau am naw awr. Roedd digon o ffurflenni'n cael eu hanfon at ffermwyr hyd yn oed bryd hynny i ofalu y byddai'n gorfod ymweld â phob un o'i 'gwsmeriaid' ar bob taith.

Er bod ganddo fwy nag un ceffyl ar gyfer y gwaith, y ffefryn a'r mwyaf dibynadwy oedd Mab, oedd yn ddeg oed. Roedd Mab yn werth y byd yn nyddiau byrion y gaeaf, gan ei fod yn gwybod ei ffordd adref mewn tywyllwch.

> Nid oes clawdd na gwrych i roi arweiniad iddo ar y mynydd, dim ond tir corsiog o boptu. Fe wŷr Mab am bob modfedd o'r daith.

Ond doedd taith y ddau o'r *Cymro* dros y mynyddoedd ddim mor hwylus.

> Ar ôl y chweched fferm roeddem wedi llwyr ddiffygio. Myfi, pwr dab, oedd yn gorfod gwthio'r car pan âi hwnnw i gaethgyfle...
>
> Ar ôl croesi'r rhyd ger Soar-y-mynydd, nogiodd y Morus. Nid âi wyth ceffyl ag ef i fyny'r rhiw. Chwalai gerrig o'i ôl fel peiriant malu *chippings* ond nid âi fodfedd yn ei flaen. Bu'n rhaid i mi wthio wrth gwrs, a thrwy hynny a llosgi tipyn ar y clyts...
>
> *Y Cymro, Medi 1955*

Sy'n esbonio, efallai, pam bod postmyn ceffyl wedi goroesi cyhyd ym mynyddoedd Ceredigion.

Sioni Winwns

Chwefror 1958

Roedd hi'n ddiwedd tymor ar Jan Guivarch a'i gyfeillion Claude a Jean. Ar ôl bod yng Nghymru'n gwerthu eu nionod ers y mis Awst blaenorol, roedd hi'n amser gadael eu warws ym Mhorthmadog a throi tuag adre i Lydaw, i fraenaru'r tir ar gyfer y cynhaeaf nesaf. Roedd y tri yn byw yn ardal Roscoff ac yn perthyn i frawdoliaeth oedd yn cynnwys pum cant o 'Sionis'.

Roedd y tri wedi arfer ers yn ifanc iawn â'r dull hwn o fyw. Saith oed oedd Claude pan gyrhaeddodd Gymru gyntaf gyda'i dad a dechreuodd Jean ar ei waith yn un ar ddeg.

GOROESI

Protest Llyn y Fan

Ionawr 1947

Er fy mod yn y fan a'r lle, ni allaf ddweud a gododd Morwyn Llyn y Fan ei phen o'r dyfroedd nawn Sadwrn i rythu ar bedwar cant o bererinion a blygai fel mieri o dan ffrewyll y gwynt. Yr oedd y dŵr a chwipid o'r llyn yn gymysg â'r glaw yn llond pob llygad, yr oerfel yn crebachu pob cnawd a'r gwynt dan bob het...

Dyma'r cyfarfod protest mwyaf rhamantus, anghysurus, lliwgar a byr a fu erioed. Pedwar cant o bobl wedi casglu

fil a chwe chant o droedfeddi uwchlaw'r môr mewn tywydd anffit i gi, yn protestio yn erbyn bwriadau'r Swyddfa Ryfel i afael yn y ddegfed rhan o dir Cymru. Hanner miliwn o aceri meddai'r Blaid Genedlaethol, a drefnodd y cyfarfod hwn: 125,000 o aceri meddai'r Swyddfa Ryfel.

Yr oedd yno ffermwyr ar eu ceffylau a lechai rhag y gwynt yng nghysgod eu meirch, ond a orfodid ar eu cefnau i gadw'r cyfrwyau'n syth pan ddychwelai'r glaw…

Rhywbeth i'w gofio oedd gweld y cyfan yn cerdded y filltir serthaf olaf at y llyn ei hun – y cŵn yn arwain, y meirch yn dilyn, a'r dreigiau cochion yn ymladd gyda'r gwynt uwchben y gwŷr traed.

Dechreuwyd gyda 'Hen Wlad fy Nhadau', canwyd 'Cofia'n Gwlad Benllywydd Tirion' yn y canol, a diweddwyd gyda gweddi.

Y Cymro, 17 Ionawr 1947

Brwydr Ysgol Bryncroes

Tachwedd 1969

"Os syrth Bryncroes bydd yn ddiwedd ar Lŷn" oedd pennawd *Y Cymro* am yr ymgyrch i rwystro Pwyllgor Addysg Sir Gaernarfon i gau un o'u hysgolion cynradd. Awdur y broffwydoliaeth apocalyptaidd oedd y Parchedig Robert Williams, un o arweinwyr y frwydr. Mae'r llun yn dangos Griffith Owen Thomas a'i wraig Gladys o fferm Meillionydd Mawr, ynghyd â phum plentyn a fyddai'n gorfod cael eu haddysg mewn ysgolion eraill.

Rali Ysgol Bryncroes

Gorffennaf 1970

Erbyn hyn roedd yr ysgol yn swyddogol ar gau, ond y frwydr i'w hachub yn dal i gorddi. Daeth cannoedd o bobl o bob rhan o Gymru i rali y tu allan i'r ysgol. Y siaradwr yn y llun yw W R Jones o adran addysg Prifysgol Cymru, Bangor, a'r gweddill ar y llwyfan yw Cassie Davies, Emyr Llywelyn, Alwyn D Rees, Dr R Tudur Jones a'r Parchedig Robert Williams.

Colli'r dydd wnaeth rhieni Bryncroes ond bu'r frwydr yn help i ysgolion bach eraill oedd o dan fygythiad. Heddiw mae adeilad Ysgol Bryncroes yn ganolfan gymdeithasol sy'n cynnwys ysgol feithrin.

Nant Gwrtheyrn

Gorffennaf 1948

"Bywyd yn Dadfeilio yn y Nant" oedd pennawd tudalen flaen *Y Cymro* uwchben stori am ddirywiad Nant Gwrtheyrn wrth i'r chwareli ithfaen gau. Roedd trigolion y pentref unig wrth odre'r Eifl yn prysur adael er mwyn bod yn nes at gyfleusterau a gwasanaethau'r byd modern. Ymhlith y rhai olaf i adael roedd William Owen (chwith, prif lun) ac Emma a George Earp.

'Sletsio' oedd enw pobl Nant Gwrtheyrn ar y grefft o gario nwyddau ar sled yn cael ei thynnu gan geffyl. Roedd hi'n haws i geffyl dynnu sled na throl i fyny'r 'Gamffordd', y ffordd unig a throellog sy'n arwain i'r pentref. Y ddau sy'n tywys y ceffyl yn y llun isod yw Robert Hughes, neu 'Bobi Ring', oedd yn byw ar un o'r ddwy fferm yn y Nant, a Ken Earp, mab George ac Emma. Bellach mae ffordd newydd wedi ei hadeiladu a thai'r pentref wedi eu hadnewyddu ar gyfer y Ganolfan Iaith Genedlaethol.

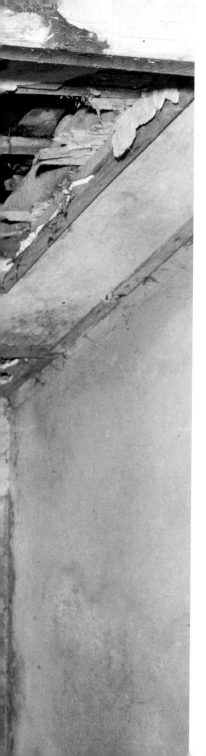

Tai Llannerch-y-medd

Chwefror 1959

"Nid ydynt yn ddim amgenach na hofelau budron."
Dyna oedd disgrifiad Aelod Seneddol Môn, Cledwyn
Hughes, o dai y bu'n ymweld â nhw yn Llannerch-
y-medd. Roedd yr AS wedi ei ddychryn gan yr hyn
a welodd, "yn enwedig felly pan ddeallodd fod plant
bach yn cael eu magu mewn lleoedd o'r fath".

Yn nhŷ Mrs Kitty Hussey a'i theulu roedd
twll anferth yn nho un o'r ystafelloedd gwely, a'r
mab ugain mis oed a'r efeilliaid saith mis yn gorfod
rhannu ystafell y rhieni, oedd hefyd yn enbyd o
damp. Roedd y rhan fwyaf o dai'r rhan honno o'r
pentref wedi eu condemnio ers cyn y Rhyfel, ond
roedd teuluoedd yn dal i fyw ynddyn nhw oherwydd
prinder tai cyngor.

Bywyd i'r Anialwch

1956

'A Desert Comes to Life' oedd pennawd y *Farmers' Weekly* i erthygl am gynllun Trydan Dŵr Rheidiol, a olygai adeiladu cronfa ddŵr Nant-y-moch, gan foddi fferm o'r un enw, ynghyd â chapel a mynwent. Yn ôl yr awdur, C S Smith, byddai'r cynllun yn ateb problem diboblogi gwledig ac yn dod â thri pheth yr oedd eu dirfawr angen ar yr ardal: pobl, ffyrdd a chyfalaf: *"From any point of view, this development should be welcomed,"* meddai.

Er i Geoff Charles dynnu llun o Jim James, oedd yn ffermio naw can erw o dir fferm Nant-y-moch, doedd dim sôn yn yr erthygl beth oedd ei farn am y datblygiad.

Pobl Olaf y Cwm

Medi 1967

Dim ond Miss Gwenan Jones a'r gwas, Robert Owen Rowlands, oedd ar ôl o hen gymdogaeth Cwm Blaen-lliw ar y mynydd rhwng Trawsfynydd a Llanuwchllyn. Roedd y ffermdai agosaf i gyd yn wag a'r cymdogion agosaf filltiroedd i ffwrdd. Felly gadael Hendref Blaen-lliw oedd eu hanes hwythau, wedi i Miss Jones benderfynu symud i dŷ yn Llanuwchllyn.

Doedd gadael ddim yn beth hawdd, gan fod teulu Gwenan Jones wedi byw yn y tŷ ers 127 o flynyddoedd, a Robert Rowlands yn gweini yno ers 38 mlynedd.

Ar ddechrau'r ugeinfed ganrif roedd Ysgol Sul yn cyfarfod yn y tŷ, a honno gyda rhwng un ar bymtheg a deunaw o aelodau. Daeth honno i ben yn 1926, ond byddai cwrdd diolchgarwch yn cael ei gynnal yn y tŷ tan 1940.

Miss Jones a'r gwas oedd yr olaf o bobl y cwm. Roedd Cwm Blaen-lliw bellach yn gwm heb bobl.

Tryweryn

Mai 1960

Cymdogaeth ddedwydd Capel Celyn – cyn i'r
pentref ym Meirionnydd ddiflannu o dan ddŵr
Tryweryn. Bu Geoff Charles yn cofnodi'r hanes am
ddeng mlynedd, o'r archwilio tir cynnar i brotest yr
agoriad swyddogol.

Y Garnedd Lwyd

Gorffennaf 1961

John a Mabel Williams yn cau drws eu cartref am y
tro olaf. Nid boddi Capel Celyn oedd y bygythiad
cyntaf i'w bywoliaeth yn y Garnedd Lwyd. Roedd
mynydd oedd yn perthyn i'r fferm eisoes wedi ei
werthu i'r Comisiwn Coedwigo gan Stad y Rhiwlas,
yn groes i ewyllys y tenantiaid. Doedd dim digon o
dir ar ôl i ffermio defaid ac roedd y ddau'n teimlo na
chawsant lawer o gefnogaeth gan eu cymdogion. O
ganlyniad, nhw oedd yr unig rai o drigolion Capel
Celyn i beidio â gwrthwynebu cynllun Lerpwl i
foddi'r cwm.

Lladdwyd Mr a Mrs Williams mewn damwain
car ger Cerrigydrudion yn 1982.

Eira Mawr y Ganrif

Mawrth 1947

"Saith wythnos o eira a rhew mwyaf y ganrif hon" oedd disgrifiad *Y Cymro* o'r hyn a ddigwyddodd yn wythnosau cyntaf 1947. Erbyn Mawrth, wrth i'r eira ddechrau meirioli, daeth yn amser cyfri'r gost. Yr amcangyfrif oedd bod Cymru wedi colli 300,000 o dunelli o gynnyrch glo a bod y ffermwyr wedi colli 300,000 o ddefaid. Difethwyd 200,000 galwyn o laeth y methwyd ei gasglu yn Sir Benfro'n unig.

Deuai straeon o bob cwr o'r wlad am arwriaeth a dyfeisgarwch wrth wynebu'r argyfwng. Bu awyren yn cario 400 torth o fara ar draws yr aber o Ddinbych-y-pysgod i Bendein. Yn Llangadfan, Sir Drefaldwyn, bu tair awyren Dakota'n gollwng tunnell yr un o wair i'r anifeiliaid. Ac yn Llanwyddyn yn yr un sir:

> Nid oedd na chig nac olew nac angenrheidiau'r pantri yno. Yr unig beth y gellid ei gael oedd dŵr ar ffurf rhew.
>
> Gwnaed yr ymdrech fawr i gyrraedd y pentref gyda *bulldozer* yn ledio'r ffordd a thractor yn tynnu sled gyda 500 o dorthau a bwyd arall ynddi – a'r *bulldozer* yn gorfod tynnu'r tractor cyn y diwedd.
>
> *Y Cymro, 14 Mawrth 1947*

Rhaeadr yn y Llan

Ionawr 1954

I Lerpwl yr oedd y dŵr o Lyn Llanwddyn i fod i lifo. Ond un o'r gloch un bore fe fyrstiodd y biben uwchben pentref Llanrhaeadr-ym-mochnant, gan greu afon ffyrnig a ruodd ei ffordd trwy ganol y pentref i Afon Tanat islaw.

Syched yng Nghanol y Dŵr

Medi 1959

Doedd Enlli ddim wedi gweld glaw gwerth sôn amdano ers dechrau mis Mai. Roedd tair o'r chwe ffynnon ar yr ynys yn berffaith sych a'r ynyswyr yn gorfod defnyddio dŵr hallt o'r môr i ferwi tatws a llysiau.

"Rwyf yma ers saith mlynedd ar hugain ac ni welais erioed mohoni mor sych â hyn o'r blaen," meddai William Evans, Tŷ Pella.

Roedd Mr Evans, sydd yn y llun gyda'i fab Ernest, yn brysur yn cloddio am ddŵr a dyfnhau ffynhonnau. Roedd wedi dod o hyd i un sbring newydd ar ddamwain wrth agor ffos.

ADDOLI

© Walker Art Gallery, Lerpwl

Marw 'Crwtyn Salem'

Gorffennaf 1963

Evan Edward Lloyd – a fu farw'n 61 oed yn Llanberis – oedd yr olaf o'r criw a fu'n 'modelu' ar gyfer llun enwog Curnow Vosper o gapel Salem yng Nghwm Nantcol, Meirionnydd. Evan oedd y bachgen sy'n eistedd o dan y ffenest. Dair blynedd cyn ei farw roedd wedi bod yn hel atgofion yn *Y Cymro* am yr arlunio.

Fe gofiai am "y dyn", fel yr adwaenai ef yr arlunydd, yn dod ar ei feic gwyrdd gyda bag ynghrog dan yr asgwrn cefn i gario'r gêr. O weld "y dyn" yn nesu at Tŷ Croes, ei gartref ar y rhiw sy'n arwain i Salem, fe redai Evan Lloyd i roi ei flows wen amdano. Yna cawsai ei gario ar y beic i Salem.

Arferai'r arlunydd osod orennau, afalau a siocled ar ben y sedd o flaen Evan Lloyd i gadw'r crwtyn chwech oed yn ddiddig tra'r eisteddai mewn caethiwed rhwng dwy linell sialc ar y sedd. Ar ei lin gosodid hen focs Quaker Oats yn lle llyfr emynau.

Ni ddeallai Evan Lloyd air o Saesneg bryd hynny, ond daeth i ddeall mai ei ddyletswydd, pan soniai'r dyn am "motion" oedd eistedd yn berffaith lonydd yn ei sedd a rhythu ar y bocs. Pan nad oedd yr arlunydd ei angen cawsai ryddid i chwarae yn y pulpud.

Y Cymro, 18 Gorffennaf 1963

Cadw Dyletswydd

Mawrth 1961

Erbyn canol y ganrif ddiwethaf roedd yr arfer o gychwyn y diwrnod trwy gadw dyletswydd, neu ddarllen y Beibl, wedi diflannu. Ond nid ar fferm Tŷ Du, Llannor ym Mhen Llŷn, cartref William Jones. Bob bore cyn troi o'r tŷ byddai'n agor y Beibl ar gongl y bwrdd…

Mae'r hen drefn o ddarllen rhan o'r Ysgrythur a dweud gair o weddi ar ddechrau'r dydd yn ddefod sy'n parhau o hyd yma. Ni chofia William Jones, 90 oed, fod hebddi. Gwnâi ei dad yr un peth o'i flaen. Pan oedd yn cadw dau was, arferent hwythau ddarllen pennod neu ran bob bore yn eu tro.

Y Cymro, 27 Mawrth 1961

Diolchgarwch Cross Foxes

Hydref 1971

Rhoddwyd hwb i'r gynulleidfa Ddiolchgarwch yng Ngarn Dolbenmaen, trwy gynnal y gwasanaeth yn nhafarn y Cross Foxes yn hytrach nag yn y capel neu'r eglwys. Gosodwyd pulpud yn y bar ar gyfer y Parchedig J Emrys Roberts, daeth Betty, gwraig y tafarnwr Joe Gregory, i ganu'r piano, ac roedd cymaint o fynd ar yr emynau nes i fynychwyr y bariau eraill uno yn y gân.

CYMERIADAU

Bugeiles

Mai 1957

Roedd Pat Hughes yn
bugeilio mwy na thri chant
o ddefaid ar fferm Tŷ Isaf yn
Nhal-y-bont, Meirionnydd.
Yn enedigol o Lundain,
daeth i dawelwch Ardudwy
at deulu ei mam yn ystod y
Rhyfel, a phenderfynu aros.

Selina

Mawrth 1961

Roedd Selina Williams yn un o'r cymeriadau mwyaf rhyfeddol y daeth Geoff Charles a Dyfed Evans ar eu traws wrth grwydro Cymru. Yn saith deg pedwar blwydd oed ac yn byw mewn bwthyn uncorn to gwellt ar Fynydd Hiraethog, doedd hi erioed wedi cysgu noson yn unman ond yn y bwthyn hwnnw.

Byddai'n cario dŵr o ffynnon ac yn defnyddio grug a phoethfel i gynneu tân. Pedair milltir oedd yna i Nantglyn, y pentref agosaf, ond doedd hi ddim wedi bod yno er 1919. Ar un adeg byddai'n cerdded dwy filltir i gyfarfod fen nwyddau a doedd hi ddim wedi crwydro'n bellach na hynny ers pedwar deg dau o flynyddoedd. Erbyn hyn gallai arbed hyd yn oed y siwrnai honno, gan fod y fen yn dod â'r nwyddau i'w thŷ.

Roedd ei thad, cipar ar y mynydd, wedi marw pan oedd Selina'n chwe mis oed. Dim ond ei mam a hithau oedd yno wedyn yn y bwthyn tri chant oed ac roedd wedi bod yn gofalu am ei mam yn ei henaint.

Roedd hi wedi bod yn y Rhyl unwaith, pan oedd yn blentyn: "Ond ni welodd ddim a'i denai yno eilwaith".

Bardd y Lorri Laeth

Chwefror 1961

Barddoni wrth ei waith a wnâi John Rowlands, gyrrwr lorri laeth gyda Hufenfa De Arfon, Rhydygwystl. Ar ôl dysgu cynganeddu mewn dosbarthiadau nos, datblygodd yn englynwr o fri, gan ymarfer y grefft yn y cab wrth grwydro ffermydd Llŷn ac Eifionydd.

"Yn ôl ei dystiolaeth ef ei hun, fe lunia well englyn fesul pwt rhwng llwyfannau'r caniau llaeth ar fin y ffordd na phe eisteddai i lawr wrth y bwrdd i geisio cyfansoddi."

Yr englyn cyflawn cyntaf iddo ei lunio oedd yr un i fwthyn ei nain. Hwnnw hefyd oedd ei waith mwyaf adnabyddus:

> Bwthyn heb fawr o bethau – a fu'n nef
> I nain gynt a minnau,
> A brwyn o gors y bryniau
> Yno'n do i ni ein dau.

Y Tramp

Mehefin 1960

Byddai rhywun yn disgwyl i dramp fod yn fodlon ar ei gwmni ei hun, ond cwyno am yr unigrwydd wnâi George Williams. Roedd Geoff Charles a gohebydd wedi dod o hyd iddo ar fryn uwchben Dolgellau. Ar ôl hel priciau i gynneu tân a thynnu'i holl eiddo bydol – cyllell, fforc, llwy, llyfr a fawr o ddim arall – allan o'r pecyn ar ei gefn, bu'n dweud ei hanes cyn gwneud ei nyth am y noson.

Yn bum deg chwech oed roedd wedi ei eni yn Lerpwl, o dras Gymreig. Bu'n gweithio yno yn y dociau nes i fom Almaenig ladd ei fam, ei fab a'i ferch. Crwydro'r ffyrdd oedd hanes George byth wedyn, a gwneud diwrnod o waith yma ac acw.

Yn ôl George y mae bywyd pob tramp yn mynd yn fwy unig ac undonog. "Ddeng mlynedd yn ôl fyddai'n ddim ichi weld wyth neu naw o danau fel hyn yn y llwyn coed 'ma ar noson fel heno. A sbïwch, does yma neb ond fi. Roedden ni'n arfer cael llawer o hwyl yn canu tipyn a chyfnewid profiadau. Ond mae'r hen ffyddloniaid yn darfod…"

Byddai George yn treulio rhai cyfnodau yn gweithio ym mherllannau Evesham dros y ffin.

"Ond pan ddaw'n rhaid byw ar garedigrwydd rhowch i mi'r Cymry. Maen nhw wedi fy nghadw i rhag llwgu lawer tro."

Y Cymro, Mehefin 1960

Elin Hughes, 102 Oed

Tachwedd 1968

Prif ddiddordebau Elin Hughes o Riwlas ger Bangor, wrth ddathlu ei phen-blwydd yn gant a dau, oedd mynd allan am dro bob dydd a gwylio pêl-droed ar y teledu bob prynhawn Sadwrn.

Y Gŵr o Baradwys

Medi 1967

Actor, pregethwr, gwas ffarm, milwr, garddwr, dyn ffordd, gofalwr – ac awdur a gyhoeddodd ddwy gyfrol hunangofiannol tua diwedd ei oes: felly y byddai Ifan Gruffydd o Langristiolus, Ynys Môn yn arfer cael ei gofio.

Ond am reswm arall y tynnwyd ei lun y tro hwn. Roedd y 'Gŵr o Baradwys' (teitl ei lyfr cyntaf) wedi bod wrthi am ddwy flynedd yn codi arian i adeiladu canolfan henoed yn Llangristiolus. Gyda help ei gymdogion fe godwyd dros ddwy fil o bunnoedd, ac wrth i'r adeilad newydd gael ei agor fe gyfaddefodd Ifan Gruffydd mai euogrwydd oedd yn ei symbylu.

Ychydig flynyddoedd ynghynt roedd hen gwt y Fyddin wedi cael ei addasu fel lle i'r henoed gael cymdeithasu, gwaith a gymerodd dair blynedd. Ifan Gruffydd fyddai'n tanio stôf i gynhesu'r lle. Un diwrnod fe losgodd y cwt yn ulw – a'r stôf gafodd y bai.

"Aeth tair blynedd o weithio a gwario i ddifancoll mewn hanner awr. Roeddwn i'n teimlo'n euog, gan mai fi oedd wedi tanio'r fatsen," meddai Ifan Gruffydd. Felly aeth o gwmpas i bregethu a darlithio mwy nag erioed a rhoi pob dimai o dâl yng nghronfa'r ganolfan newydd.

Ann o Lŷn

Awst 1973

"Mae 'na fyd o wahaniaeth rhwng hen ferch a merch ddi-briod, oedd wedi treulio'i hoes yn gweini yn Llŷn ac Eifionydd. Roedd wedi ysgrifennu pryddest am Enlli ar gyfer cystadleuaeth y Goron yn Eisteddfod Genedlaethol Bangor 1971, ond yn anffodus, am 'ddilyniant o gerddi rhydd' y gofynnai'r gystadleuaeth. Yn ôl un beirniad, petai Ann wedi cadw o fewn y rheolau "byddai'n agos at fynd â'r maen i'r wal".

Yn ogystal â barddoni byddai'n hoffi garddio, gwnïo, gwau a pheintio. "Dydw i ddim yn meddwl y teimla i byth unigrwydd henaint – mae gen i ormod o ddiddordebau," meddai.

Ysgubwr Dail

Tachwedd 1961

Job sy'n gofyn am amynedd Jôb – yn enwedig ar ddiwrnod gwyntog: dyna oedd y disgrifiad o waith Richard Humphreys, oedd yn gyfrifol am edrych ar ôl darn o'r briffordd trwy bentref y Ganllwyd. Roedd wedi bod yn gweithio i Gyngor Sir Meirionnydd er 1924. Hel dail oedd y prif orchwyl ar yr adeg hon o'r flwyddyn.

HEN ARFERION

Calan Hen

Ionawr 1961

Roedd dathlu Calan Hen ar 12 Ionawr yn hen draddodiad yn Llandysul, ond roedd natur y dathliad wedi newid cryn dipyn dros y blynyddoedd.

Gŵyl grefyddol a pharchus iawn yw'r ŵyl Calan Hen ers canrif a rhagor. Yn ddi-dor ers 1883 neilltuwyd y diwrnod arbennig hwn ar gyfer y gymanfa bwnc gan ysgolion Sul yr Eglwys yng Nghymru mewn nifer o blwyfi yn ne Ceredigion. Daw'r aelodau, yn blant a phobl mewn oed, ynghyd i Eglwys y Plwyf i adrodd colectau a phenodau, i ganu anthemau ac i'w holi ar y maes llafur…

Byddai'r dathlu cyn 1883 yn dra gwahanol, yn ôl tystiolaeth Hanes Plwyf Llandysul:

Ar fore dydd Calan Hen rhoddid brecwast i wŷr y cynhaeaf yn gydnabyddiaeth am eu llafur y tymor cynt. Dechreuai'r brecwast yn fore iawn. Erbyn naw o'r gloch yr oedd swm lled dda o dablen a gwirodydd meddwol wedi eu hyfed a'r bobl yr adeg hynny yn "rhy lawen". Wedi'r yfed treulid gweddill y diwrnod yn cicio'r bêl ddu rhwng tŵr eglwys Llandysul a thŵr eglwys Llanwenog…

Ac yn ôl dyddiadur Ann Beynon, gwraig o'r cylch:

"Yn fuan wedi dechrau chwarae'r prynhawn aethant i gwympo ma's â'i gilydd gan regi a throedio ei gilydd… Yr oedd golwg ofnadwy arnynt, yn curo ei gilydd a'r merched yn rhedeg a sgrechian a cheisio achub eu brodyr a'u cyfeillion. Ond waeth beth a wnâi neb, ymladd rhagddynt fel bwldogs a wnaent."

Rhai o ffyddloniaid y Gymanfa Bwnc

Eiddo i Mari

Mawrth 1959

Roedd rhialtwch mawr yn y Sarnau ym Meirionnydd ar ddiwrnod priodas Mona Griffiths ac Esmor Owen. Taniwyd gwn, bu plant yn gosod rhwystrau ar draws y ffordd, a chafwyd gorymdaith anifeiliaid fel arwydd o'r 'dowri' priodasol, gan wireddu geiriau hen gân werin, 'A'r Cyfan yn Eiddo i Mari'. Roedd digwyddiadau fel hyn yn draddodiad yn yr ardal, gyda Llwyd o'r Bryn, y gŵr yn yr het, yn llywyddu.

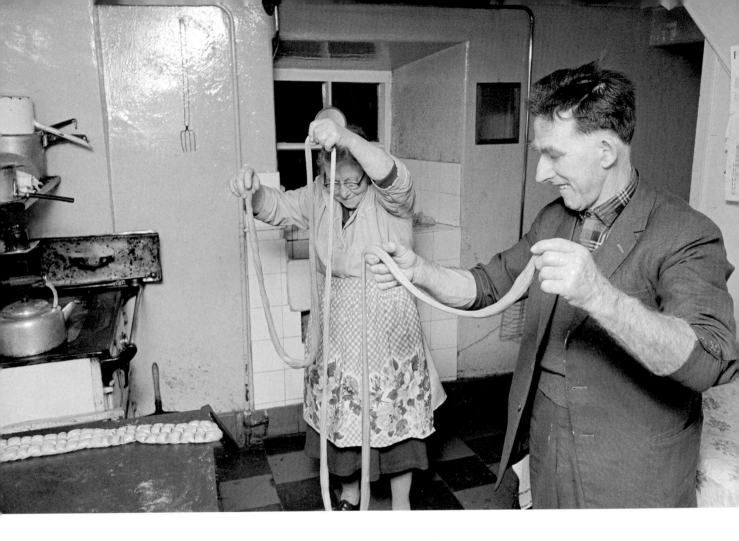

Cyflaith

Rhagfyr 1970

Roedd gwneud cyflaith at y Nadolig yn arfer
poblogaidd ar ffermdai ardal y Parc ger y Bala. Greta
Jones, Tŷ Du sy'n dangos y grefft, gyda help ei brawd
Herbert.

Canhwyllau Brwyn

Rhagfyr 1953

Canhwyllau brwyn? Yn 1953? Y mae'n wir. Deil Mr a Mrs Evan G Jones, Cwm Hesgyn, i'w defnyddio yn eu ffermdy mynyddig y tu hwnt i Abergeirw, er bod ganddynt lamp olew fodern i oleuo'r gegin fawr ar fin nos.

Gall Mrs Jones wneud y canhwyllau mewn byr dro, wedi pilio'r brwyn a thoddi'r pabwyr mewn toddion.

Byddai hen wraig oedd yn byw yn y tŷ unwaith yn cerdded i'r Bermo i werthu'r canhwyllau – llond llaw, sef tua 60, am geiniog a dimai. Byddai'n prynu blawd efo'r arian a'i gario adref ar ei chefn…

Mae Mrs Jones wedi ei magu yma ac yn diogelu'r hen grefft.

Y Cymro, 11 Rhagfyr 1953

BYD AMAETH

Merched y Cynhaeaf

Gorffennaf 1952

Merched yn gweithio yn y cynhaeaf gwair yn Aberllefenni ger Machynlleth. Cofnodwyd eu henwau, yn null ffurfiol y cyfnod, fel Mrs M E Hughes, Mrs M Humphreys, Mrs M C Thomas a Mrs C A Hughes.

Heuwr

Mai 1962

Un arall nad oedd ganddo lawer i'w ddweud wrth ffermio peirianyddol oedd Thomas Williams, gwas ar fferm Llymgwyn, Chwilog. Roedd wedi dechrau hau o gynfas wen am ei wddw pan oedd yn dair ar ddeg oed. Ar ôl cyrraedd ei drigain, roedd yn dal wrthi:

"Y gyfrinach fawr yw lluchio'r had yn wastad, a chymer flynyddoedd o brofiad i ymberffeithio yn y grefft." Roedd yn cymryd diwrnod o "gerdded reit galed" i hau cae naw erw. Dwyawr a gymerai tractor i wneud y gwaith.

Ceffylau Gwedd

Mawrth 1964

Roedd Thomas Williams, chwe deg saith oed, o Lwydcoed Bach, Llanllyfni wedi gwrthod dilyn ffasiwn. Ni fu ganddo erioed dractor ac roedd yn dal i aredig, teilio, cario gwair a gwneud holl orchwylion eraill y fferm gyda'i geffylau gwedd, Corwen a Bess. Erbyn hyn roedd ar ei dymor olaf cyn ymddeol, a holl draddodiad y ceffyl gwedd ar fin dod i ben yn yr ardal.

Roedd yn well ganddo aredig gyda'r wedd oherwydd na hoffai flerwch. Teimlai fod y ceffylau'n gwneud taclusach gwaith.

"Medrwch weithio efo ceffylau pan na fyddech chi damaid haws a mynd â thractor allan o'i gwt. Nid yw ceffyl yn troi yn ei unfan."

Ond onid oedd ceffyl yn ddrutach i'w gadw na thractor?

"Ni chredaf ei fod. Rhaid cael bwyd i'r naill ac olew i'r llall."

Llofft Stabal

1955

Roedd cyfnod y llofft stabal yn dirwyn i ben yn y pumdegau pan dynnwyd y llun hwn ar fferm Bodfel ger Boduan yn Llŷn. Pan fyddai'r ffermydd mawr yn cyflogi pedwar neu ragor o weision, yr arfer oedd i'r gweision hynny letya yn y llofft yn adeiladau allanol y fferm. Datblygodd cymuned y llofft stabal ei thraddodiadau a'i diwylliant ei hun.

Y ddau yn y llun hwn yw Hywel Wyn Jones a Robert Pritchard. Roedd y 'coffor' – y bocs dillad agored wrth droed y gwely – yn ddodrefnyn hanfodol i bob llofft stabal.

Diwrnod Cneifio

Gorffennaf 1956

Diwrnod cneifio a diwrnod dyrnu oedd y ddau achlysur cymdeithasol mawr yn y flwyddyn, pan fyddai cymdogaeth gyfan yn dod at ei gilydd i rannu llafur a chael hwyl ar yr un pryd.

Cawn ddarlun manwl o faint y digwyddiad trwy luniau Geoff Charles ac adroddiad Dyfed Evans o ddiwrnod cneifio ar fferm David Jones, Nantymaen, Tregaron. Achlysur oedd yn gyfuniad o "de parti, eisteddfod, cyfarfod WI, trip, diwrnod lladd mochyn, chwarae triwant".

"Cymwynasgarwch a chomiwnyddiaeth yw'r gymysgedd ryfeddol hon."

Byddai'n digwydd yn Nantymaen ar 6 Gorffennaf bob blwyddyn. Roedd hi'n fferm fynydd gyda 2,200 o erwau, ac nid hi oedd y fferm fwyaf yn y gymdogaeth. Roedd angen y gweithlu canlynol:

– 50 o fenywod yn rhostio 80 pwys o gig eidion a llond wyth dysgl o bwdin. Byddai Mrs Jones y ffermwraig wedi codi am 4.30 y bore i sicrhau fod popeth mewn trefn

– 70 o gneifwyr gyda'u gwelleifiau

– 40 o ddynion yn cario a chlymu'r gwlân

– Nifer fawr o blant gyda'u mân orchwylion

Byddai llawer o'r dynion yn cneifio ar y gwahanol ffermydd am fis cyfan.

Dyfarniad Dyfed Evans: "Bu rali gomiwnyddol Gymraeg y mynyddoedd yn un o uchafbwyntiau'r flwyddyn i mi".

Cneifio Dyffryn Ceiriog

Gorffennaf 1957

Diwrnod cneifio cymdeithasol arall ar fferm Ceiriog
Jones, Swch Cae Rhiw, Llanarmon Dyffryn Ceiriog.

Diwrnod Dyrnu

Ebrill 1961

Erbyn dechrau'r chwedegau roedd y combein, neu'r dyrnwr medi, wedi disodli'r dyrnwr mawr mewn llawer ardal. Ond roedd digon o waith ar gyfer y dyrnwr traddodiadol. Roedd dyrnwr Robert Pritchard, Penfras, Llwyndyrys ger Pwllheli, wedi bod yn brysur bob dydd ers saith wythnos.

Wrth i'r grefft a'r gweithwyr ddechrau prinhau, roedd hi'n mynd yn anodd dod o hyd i rhwng deg a dwsin o griw ar y diwrnod dyrnu, pob un gyda swydd benodol. Ond roedd Richard Pritchard, brawd perchennog y dyrnwr, yn mynnu fod yr hen drefn yn rhagori ar y combein, oedd yn "ddyfais fwy gwastraffus".

"Mae ŷd o'r dyrnwr mawr sylltau y cant yn fwy o werth am ei fod yn cael ei drin a'i lanhau yn well."

Saethwyr

Hydref 1960

Roedd enwau'r cŵn codi yn dweud llawer: Saucy Simon of Blackton, Queenie, Peggy a Shof of Llanbeulan.

Roedd y pedwar wedi chwarae rhan yn llwyddiant y diwrnod saethu "ym mherfeddwlad Môn". Y saethwyr bodlon oedd yr Henadur L P Burrill, Trefnant; R E Owen, Tremeirchion; a W H Parry a John Jones, ciperiaid ystâd Meurig Bodorgan o Walchmai. A'r helfa – pum pâr o betris a dau bâr a hanner o geiliogod ffesant.

Clwy'r Cwningod

Medi 1954

Un o atgofion mwyaf parhaol trigolion cefn gwlad am y pumdegau oedd y Myxomatosis, neu'r 'micso'. Dangosodd *Y Cymro* lun manwl o gwningen oedd yn dioddef, "yn chwyddedig, yn ddall, yn fyddar, yn methu â symud a'i brest hi'n gwichian fel megin gefail".

Creulondeb ynteu gwaredigaeth? Dyna'r cwestiwn a ofynnai Dyfed Evans mewn erthygl a nodai fod ffermwyr "wrthi'n ddiwyd yn cario'r clwy", er mwyn dileu colledion a achosid gan gwningod. Roedd y clwy wedi cyrraedd pob un o siroedd Cymru heblaw Sir y Fflint, a dyn, nid natur, oedd yn gyfrifol.

Yn ôl Archesgob Efrog, "Y mae lledaenu'r clwy yn fwriadol yn anghristnogol ac annynol".

Hela Heb Ladd

Mehefin 1956

Dal llwynogod i'w rhoi neu eu gwerthu fel anifeiliaid anwes a wnâi pedwar ffrind o Feirionnydd. Rhwng y Pasg a Mehefin roedd Eric Roberts, Bob Jones, William Ellis a Frank Roberts wedi dal dros hanner cant, a'u hanfon i wahanol rannau o Brydain.

Fydden nhw ddim yn eu rhoi i gymdeithasau hela: "Creulondeb fyddai hynny".

Ond roedd ganddyn nhw bob cydymdeimlad â ffermwyr oedd yn dioddef colledion oherwydd y cadno. Wrth glirio un ddaear, neu ffau, roedden nhw wedi gweld gweddillion deugain o ŵyn o un fferm, a sgerbwd ieir ac anifeiliaid eraill – ond dim cwningod. Yr awgrym oedd bod difa'r cwningod gan y clwy Myxomatosis wedi cynyddu'r newyn am anifeiliaid eraill.

"Mae'r llwynog yn cael amser caled, nid yw'r cenawon yn aml ond croen ac esgyrn. Yn aml mae'r cenau yn un o'r anifeiliaid prydferthaf."

O'r pedwar llwynog yn y llun byddai un yn mynd i'r Alban a dau i ganolbarth Lloegr lle'r oedd cwsmeriaid yn disgwyl amdanynt i'w cadw'n ddof.

Twm y Ceffyl 'Gwyrdd'

Mawrth 1955

Roedd Twm yn greadur annibynnol, yn byw ar dyddyn pum acer ar hugain Tanygrisiau wrth droed Garn Fadryn ym Mhen Llŷn. Roedd wedi hen arfer mynd rownd a rownd y polyn yn malu *chaff* a gwellt, a doedd dim angen neb i'w dywysu a'i gyfarwyddo.

Dim ond malu digon at ei gadw'i hun yr oedd o erbyn hyn. Creadur cwbl gynaliadwy, ymhell cyn i'r gair hwnnw gael ei fathu.

Mari'r Ferlen

Awst 1962

Roedd Mari'r ferlen fwy na theirgwaith yn hŷn na'i pherchennog. Yn dri deg naw mlwydd oed, hi oedd "y ferlen hynaf, debygwn, yn y wlad". Deuddeg oed oedd Victor Parry, o Fodwrog, Ynys Môn. Roedd wedi cael y ferlen yn anrheg gan ei daid, John Parry, am ei dywys o amgylch ar ôl iddo golli ei olwg. Doedd Mari ddim eto wedi cael ei phensiwn. "Mae'n dal i wneud ychydig o waith ysgafn – a llawer o bori."

Ysgubau Ŷd

Awst 1964

Cafodd y llun hwn le amlwg ar y dudalen flaen *Y Cymro,* i ddarlunio stori yn cynghori ffermwyr i bwyllo cyn gwerthu eu cynnyrch ar ôl cael cnydau arbennig o dda o haidd, gwenith a cheirch: "Os rhuthrant i gyd i werthu fe all y prisiau ostwng yn arw ar unwaith".

Mae'r llun yn dangos tri gweithiwr yn codi ysgubau ŷd ar eu traed ar fferm Maesllyn, Bodwrog, Ynys Môn: "Dull hen ffasiwn o hel cynhaeaf ond mae'n syndod beth all criw o hogiau ei wneud ar ddiwrnod braf".

Arallgyfeirio

Rhagfyr 1970

Pan wnaed ffilm o *Macbeth* yn Sir Feirionnydd gan y cyfarwyddwr Roman Polanski roedd angen dau fustach i dynnu cert ganoloesol ac roedd yn rhaid i'r bustych fod yn rhai Du Cymreig. Aeth William Jones, Cwmberllan, Abergynolwyn ati i hyfforddi dau fustach

dwyflwydd oed a dywed ef fod y rhain wedi dysgu ynghynt o lawer nag a dybiai ef ei fod yn bosibl.

Dywed William ei bod hi'n talu'n well iddo hyfforddi'r bustych na mynd â nhw i'r farchnad.

Y Cymro, 2 Rhagfyr 1970

LLEFYDD

Nantllwyd

Medi 1955

Un o ffermydd mwyaf anghysbell Ceredigion a chartref i un o'r teuluoedd amaethyddol mwyaf adnabyddus: dyna Nantllwyd yn ardal Soar-y-mynydd, cartref Mr a Mrs Thomas Jones a'u hwyth o blant. Roedd pedwar o'r bechgyn adref yn helpu eu rhieni i redeg y fferm 2,900 erw ac un o'r lleill ar ei ffordd i Balesteina gyda'r Fyddin.

Ond roedd y byd modern yn cyrraedd Nantllwyd. Roedden nhw ar fin cael bathrwm, a stôf Aga i dwymo'r dŵr.

Rhydymain

Ionawr 1954

Roedd stori Hufenfa Meirion yn un o lwyddiannau cefn gwlad. Ers i'r ffermwyr ei sefydlu fel cymdeithas gydweithredol yn 1939, roedd y fenter yn mynd o nerth i nerth, y cynnyrch wedi cynyddu ddeuddeg gwaith drosodd, a nifer y gweithwyr wedi codi i drigain.

Yr angen bellach oedd tai ar gyfer y gweithwyr a'u teuluoedd; felly fe gyflogodd yr hufenfa dri adeiladwr amser llawn, oedd yn gallu codi'r tai yn llawer rhatach na chontractwyr allanol.

Tynnwyd y llun pan oedd pedwar tŷ wedi eu gosod a phedwar arall i ddod. Gyda thrên yn "tuchan i fyny'r cwm", byddai'r llun hwn wedi bod wrth fodd Geoff Charles.

Llanfihangel-yng-Ngwynfa

Tachwedd 1955

Does dim llawer o gŵn a gafodd gymaint o addysg â Shep, ci seithmlwydd oed J R Jones, prifathro ysgol Llanfihangel-yng-Ngwynfa yn Sir Drefaldwyn. Byth er pan oedd yn gi bach byddai'n dod i'r ysgol bob dydd gyda'i feistr, yn eistedd yn dawel o dan y ddesg tra byddai Mr Jones yn cynnal gwersi ac yn ymuno â'r plant pan ddeuai'n amser chwarae. *"Never was there such a well-behaved dog,"* meddai adroddiad y *Border Counties Advertizer*.

Tyn-y-braich

Ionawr 1965

Roedd tri o feibion fferm Tyn-y-braich, Cwm Maesglasau, Dinas Mawddwy wedi eu geni'n ddall. Roedd un o'r tri, William Hughes Jones, yn gweithio fel copïwr llyfrau *braille* ac yn byw gyda'i fam, Mrs Rebecca Jones, mewn byngalo ar dir y fferm. Offeiriad yn Ledbury, Swydd Henffordd, oedd y Parchedig Griffith Jones ac roedd Lewis Jones yn deleffonydd yn Nottingham.

Teulu Tyn-y-braich oedd sail *O, Tyn y Gorchudd*, nofel Angharad Price a enillodd wobr Y Fedal Ryddiaith yn 2003.

O'r chwith: William Hughes Jones, Rebecca Jones, Griffith Jones a'i wraig Christine a'u tri phlentyn, Richard, Elizabeth a Hugh.

Llyn y Gadair

Mehefin 1958

> Pysgotwr unig yn chwipio'r dŵr
> A rhwyfo plwc yn awr ac yn y man.

Roedd y bardd T H Parry-Williams yn cael ei wneud yn Syr, a dyna pam yr aeth *Y Cymro* i ymweld â rhai o'r mannau o gwmpas ei ardal enedigol yn Rhyd-ddu sy'n cael eu crybwyll yn ei gerddi. Un o'r rheini oedd Llyn y Gadair. Roedd y 'pysgotwr unig' sydd yn y llun, Edwin Roberts, yn yr ysgol efo T H Parry-Williams a'r ddau'n cael eu pen-blwyddi ar yr un diwrnod.

Cyfrol arall o luniau ysgytwol Geoff Charles

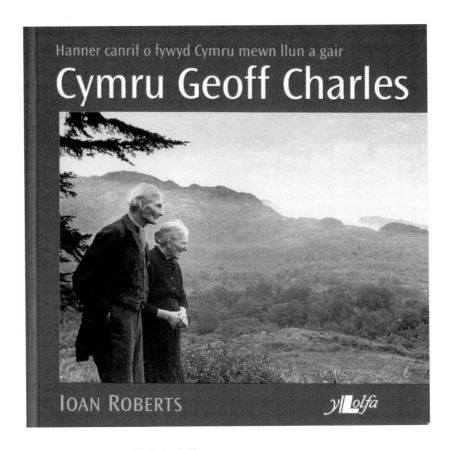

Hanner canrif o fywyd Cymru mewn llun a gair
Cymru Geoff Charles

IOAN ROBERTS

y Lolfa

£14.95 ISBN 0 86243 734 2